船舶工人培训丛书

高级船舶管系工工艺学
（技师）

刘光亚　编

哈尔滨工程大学出版社

内容简介

本书共分八章。第一章船舶管系概论，介绍了船舶管系的概念、组成以及船舶管系的常用材料；第二章结合现代造船模式，介绍了管装生产设计的基本知识、管装编码基础、托盘管理，以及壳、舾、涂一体化的基本概念等；第三章预舾装技术，主要介绍了实施预舾装的要求、舾装件的预制；第四章船舶设备，为液压传动的基本知识、常用船舶设备与系统的组成、结构和工作原理；第五章为船舶制冷和空气调节系统的原理和实例；第六章船舶管路修理，主要介绍了船舶管路修理的拆卸图绘制、管路拆卸、内场鉴定、复装施工和管路修理的工时定额等；第七章简要介绍了国内外先进造船方法，壳、舾、涂一体化发展的新知识和弯管质量控制等；第八章为船舶管路制造的操作技术，系统介绍了管件制作工艺、管件的化学清洗、管件安装技术、管路系统调试、施工图纸的问题等相关内容。

本书内容简洁、图文并茂。可作为高级船舶管系工(技师)的培训教材，也可供有关专业人员、工人参考。

图书在版编目(CIP)数据

高级船舶管系工工艺学/刘光亚编.—哈尔滨:哈尔滨工程大学出版社,2004

ISBN 978-7-81073-641-1

Ⅰ.高… Ⅱ.刘… Ⅲ.船舶管系附件-工艺学
Ⅳ.U664.84

中国版本图书馆 CIP 数据核字(2004)第 124736 号

出版发行 哈尔滨工程大学出版社
社　　址 哈尔滨市南岗区东大直街 124 号
邮政编码 150001
发行电话 0451-82519328
传　　真 0451-82519699
经　　销 新华书店
印　　刷 黑龙江省地质测绘印制中心印刷厂
开　　本 787mm×1 092mm 1/16
印　　张 9.25
字　　数 222 千字
版　　次 2005 年 1 月第 1 版
印　　次 2008 年 9 月第 2 次印刷
定　　价 14.80 元
http://press.hrbeu.edu.cn
E-mail:heupress@hrbeu.edu.cn

编 者 说 明

国家推行职业资格证书制度以来,船舶系统积极开展了职业技能鉴定工作,劳动部和原船舶工业总公司相继颁发了《职业技能鉴定规范》(考核大纲),系统内各船厂根据该规范对工人技术等级的要求积极展开了培训工作。但相应配套的培训教材一直是培训工作中的难题,而原有的教材已不能适应当前形势发展的需要。为了推动培训、鉴定工作的健康发展,急需编写相应的教材。为此,我们编写了部分工种的培训大纲和教材。本书是根据《职业技能鉴定规范》和武昌造船厂教育中心编写的教学大纲编写的。主要围绕《职业技能鉴定规范》对高级船舶管系工(技师)的专业知识要求,结合工厂的实际需要而编写的,对《职业技能鉴定规范》中未作要求的部分,一般未编入,以提高教材的针对性和适用性。

本书由武昌造船厂高级工程师、南华大学副教授刘光亚硕士编写,由武昌造船厂教育中心孟宪举审阅。

在此我们向提供支持和帮助的有关单位和个人表示诚挚的感谢。

由于编者水平有限,时间仓促,书中错误和疏漏在所难免,诚恳希望批评指正。

武昌造船厂教育中心

前 言

哈尔滨工程大学出版社自成立以来就参与了船舶类各种教材、船舶工人技术等级和造船工人技术理论教育教学计划与教学大纲的编写及出版工作，填补了我国没有船舶类职工培训教材的空白。根据《船舶工业造船工人技术等级标准》的要求，先后组织编写并出版了船舶行业初、中、高级工的技术理论培训教材80余种，结束了我国船舶行业没有统编教材的历史，基本上满足了国内船舶行业各企业职工培训的要求，对推动职工培训工作，改变船厂职工队伍技术水平较低的状况，起到了显著的作用，成为各船舶企业培训的首选教材。

随着生产的发展、产品结构的调整及新工艺、新技术、新设备、新材料的应用，在早期的统编教材中有些技术标准、工艺方法及名词术语部分已过时，部分教材内容会略显陈旧。因此，为了使这批教材能更好地发挥它在培训中的作用，我们对上述教材分期进行修改或重编，逐步出版一套与各船舶企业培训相适应的初、中、高级工技术理论教材。

本套统编教材邀请了中国船舶工业集团公司和中国船舶重工集团公司所属有关船厂富有经验的工程技术人员、科技工作者及从事职工教育的同志作为编者，并对编写提纲作了广泛认真的调查和论证，是在对当今造船企业中实际培训的需求的基础上编写的。为了使教材在内容上具有一定的先进性，充分体现了我国当前采用的先进的造船方法、造船技术和造船工艺，并具有较好的实用性，我们在紧密联系船厂实际的同时，充分考虑到各船厂在产品和工艺上的不统一性，力求满足不同地区、不同船厂的不同培训需求。

编好和出版一套真正实用的职工培训教材不容易，虽然我们尽量做到精心组织、认真编写和出版，但难免存在某些缺点和不足，希望从事职工教育的同志及读者，在教和学的过程中，能发现问题，并及时地和我们联系，以便再版时修订使之更加完善，更好地为船舶工业服务。

船舶工业教材编审室

哈尔滨工程大学出版社

目　录

第一章　船舶管系概论

第一节　船舶管系在船舶中的地位与作用

船舶管系是船舶管路系统的简称。船舶管路系统是指在船舶上用来输送流体(液体或者气体)的成套设备,以保证船舶动力装置可靠正常地工作以及船舶安全航行而设置的辅助机械、辅助设备、检测仪表、附件以及管路的总称。因此船舶管系在船舶中的作用与地位十分重要。

船舶管系由三部分组成:

管路——由许多管件联结而成,是输送流体的通道;

阀件——控制管系中流体的通或止、方向和压力;

机械——提供管系中流体流动的能量,如泵、通风机、压缩机等。

全船舶管系按用途分为动力管系和船舶管系两大类。动力管系是为推进装置服务的管系,其作用是保证推进装置正常工作;船舶管系是为全船服务的管系,其作用是保证船舶的生命力、安全航行以及船员与旅客的正常生活和工作。

动力管系按其任务的不同,主要有以下七个方面:

1.燃油管系——用以保证动力装置的燃料需要所设置的管系;

2.滑油管系——用以保证供应各主辅机运动部分的润滑和承担部分冷却所需的滑油管路;

3.冷却管系——保证汽缸工作容积壁冷却良好,以使汽缸工作表面上的润滑油膜不受高温破坏而得以保持良好;

4.进排气管系——用以保证供应动力装置工作所需的新鲜空气、并把其产生的废气排到舷外;若是潜艇,还要保证供应水面或通气管状态下全船通风系统所需的空气,并与全船通风系统一起完成各舱室的空气循环,还要供应蓄电池自然通风用的空气;

5.压缩空气管系——在内燃机的船舶上,除供主辅机启动的高压的压缩空气外,尚需低压的压缩空气供给汽笛、信号装置、冲洗海底门及修理间的杂用等,在潜艇上,还要供应给上浮下潜系统、液压系统蓄压器、救生系统等使用;

6.锅炉给水管系——执行着向锅炉内供应炉水的任务;

7.主辅机蒸汽管系——主机蒸汽管系把主锅炉的过热蒸汽或饱和蒸汽输往主机;辅机蒸汽管系把蒸汽输往各辅助机械及汽笛、警笛和各热交换器等。

船舶管系按其任务的不同,主要有:

1.蒸汽暖气管系——保持各舱室所需要的温度,满足旅客及船员在寒冷的季节里舒适的生活和顺利工作的需要;

2.生活用水管系——满足船员和旅客日常生活用水的需要;

3.通风管系——完成各舱室的空气循环;

4.舱底水管系——保证将各舱室舱底积水排出船外;

5.压载水管系——向压载水舱充注压载水及将压载舱里的水吸出排至船外,或作各压载水舱间的压载水调整,以调整船身的纵倾或横倾;

6.海水消防管系——除用于扑灭火灾外,还兼作冲洗甲板、冲洗锚链和洒水降温等用;

7.二氧化碳灭火管系——将贮存在钢瓶中的液体二氧化碳输送到失火场所,当液体二氧化碳经管系喷入舱内后立即汽化。(当该舱室内放入占容积为28.5 %以上的二氧化碳气体后,氧的含量则减少到15%以下,因而破坏了燃烧条件,使燃烧窒熄;)

8.蒸汽灭火管系——将锅炉中的饱和蒸汽输送到被防护舱内,使舱内含氧量下降到15%以下,使燃烧窒熄。装置蒸汽灭火管系的舱室为:干货舱、煤舱、燃油舱及其相邻的隔离空舱、燃液体燃料的锅炉舱、易燃物品的贮藏舱、灯具间、油漆间、运油船上的货油舱及货油泵舱等。

除此以外,根据不同类型的船舶(如潜艇)还设置液压管系、蓄电池冷却水管系、发射武器装置和救生装置的疏水管系、透气管系、测量管系等。

第二节 船舶管件的常用管材

在船舶管系中使用的管材是根据管内流体的介质及其压力、温度、防腐要求及管子在船舶上安装位置等诸因素而选择。船舶管件通常使用的管材是各种不同直径和壁厚的无缝钢管、水煤气管、紫铜管和黄铜管,而很少用铝管、双金属管。随着塑料工业的发展,塑料管在船舶制造中的应用也逐步得到推广。

1.无缝钢管 无缝钢管分为热轧无缝钢管和冷拔无缝钢管,其直径从4mm到830mm,长度从4m到10m,壁厚从0.5mm到20mm。

在船舶管系中普遍采用优质碳素钢管。如燃油管系、滑油管系、蒸汽管系、压缩空气管系和锅炉管系等。优质碳素钢管采用10#、20#的优质碳素钢制造,其化学成分见表1-1,而机械性能见表1-2。

表1-1 船用优质碳素钢管化学成分

钢号	碳 C	硅 Si	锰 Mn	磷 P	硫 S	铬 Cr	镍 Ni
				不大于			
10	0.07~0.14	0.17~0.37	0.35~0.65	0.035	0.04	0.15	0.25
20	0.17~0.24	0.17~0.37	0.35~0.65	0.04	0.04	0.25	0.25

表1-2 船用优质碳素钢管机械性能

钢 号	抗拉强度 σ_b MPa	屈服点 σ_s MPa	伸长率 δ_5 /%
10	333	206	24
20	392	245	20

在工作介质压力低于0.5MPa时，可采用普通碳素钢管，普通碳素用管含硫量不超过0.055%，含磷量不超过0.045%，其机械性能符合表1-3的规定；在工作介质温度超过450℃时，必须采用耐热合金钢管，耐热合金钢管一般使用在船舶主蒸汽系统中，具有耐高温，抗高压的性能，这种合金钢管经弯曲、焊接等加工后，需要进行热处理，船用合金钢管的化学成分见表1-4，船用合金钢管的机械性能见表1-5。

表1-3 船用普通碳素管机械性能

钢 号*	抗拉强度 σ_b MPa	屈服点 σ_s MPa	伸长率 δ_5 /%	交货状态
	不 小 于			
A2 AS2 AJ2	333	216	24	热轧
A3 AS3 AJ3	372	235	22	热轧
A4 AS4 AJ4	412	255	20	热轧

* 表列钢号系按冶标700-65规定。A—甲类钢，即按机械性能供应的钢；S—侧吹酸性转炉钢；J—侧吹碱性转炉钢；字母后的数字系钢的序号。

表1-4 船用合金钢管的化学成分

钢号		化学成分											
牌号	代号	碳 C	锰 Mn	硅 Si	铬 Cr	钼 Mo	钒 V	钛 Ti	硼 B	钨 W	稀土 Re	硫 S	磷 P
												不大于	
15锰钒	15MnV	0.12 ~0.18	1.20 ~1.60	0.20 ~0.60			0.12 ~0.18					0.040	0.040
12锰钼钒	12MnMoV	0.08 ~0.15	0.08 ~1.20	0.50 ~0.80		0.40 ~0.65	0.25 ~0.35					0.040	0.040
12锰钒钨硼硅稀土	12MnVWBSiRe	0.08 ~0.15	0.40 ~0.70	0.60 ~0.90		0.45 ~0.65	0.30 ~0.50	0.06	0.003 ~0.01	0.15 ~0.40	0.15	0.040	0.040
12铬3钼钒硅钛硼	12Cr3MoVSiTiB	0.09 ~0.15	0.50 ~0.80	0.60 ~0.90	2.50 ~3.00	1.00 ~1.20	0.25 ~0.35	0.22 ~0.38	0.005 ~0.011			0.035	0.035
12铬2钼钨钒硼	12Cr2MoWVB	0.08 ~0.15	0.45 ~0.65	0.45 ~0.75	1.60 ~2.10	0.50 ~0.65	0.28 ~0.42	0.08 ~0.18	≤0.008	0.30 ~0.55		0.035	0.035
12铬1钼钒	12Cr1MoV	0.08 ~0.15	0.40 ~0.70	0.17 ~0.37	0.90 ~1.20	0.25 ~0.35	0.15 ~0.30					0.040	0.040
15铬钼	15CrMo	0.12 ~0.18	0.40 ~0.70	0.17 ~0.37	0.80 ~1.10	0.40 ~0.55						0.040	0.040

表 1-5　船用合金钢管的机械性能

钢　　号	抗拉强度 σ_b MPa	屈服点 σ_s MPa	伸长率 δ_5 /%	冲击韧性 α_2 MPa
15MnV	490	294	19	
12MnMoV	529	392	17	
12MoVWBSiRe	539	314	18	
12Cr2MoWVB	539	343	18	
12Cr3MoVSiTiB	627	441	18	
12Cr1MoV	470	255	21	59
	441*	255*	19*	49*
15CrM	441*	225*	20*	49*

注:带 * 为横向试样。

采用无缝钢管时,其内外表面不允许有裂缝、折叠、结疤、轧折和发纹等缺陷存在。如有上述缺陷应当完全清除,被清除过的部位不得超过无缝钢管的负偏差,见表 1-6。无缝钢管除符合上述表所举出的化学成分及机械性能外,还需要进行批量检验、外表检查、化学分析、拉力试验、弯曲、扩口和压扁试验。高压管路使用的钢管还需要进行金相检查、冲击试验和超声波探伤检查。

表 1-6　无缝钢管壁厚允许的负偏差

钢 管 种 类	管壁厚度允许偏差/%	
	普 通 管	高 压 管
热　轧	-15	-10
冷　拔	-10	-10

2.焊接钢管　焊接钢管有两种,一种是由成型的管子毛坯截成钢条,然后经焊接制成;另一种是由钢板卷制后经焊接制成的大口径管。焊接钢管内外表面不允许存在裂缝、结疤、错位、毛刺、压痕和较深的划道等缺陷,但不超过允许偏差的表面缺陷可以存在。焊接钢管的机械性能、工艺试验、性能试验,液压试验应符合该产品的技术标准。

钢板卷制后焊接的钢管,一般直径为 100mm 以上,厚度从 2mm 到 4mm,长度不限。钢板卷制的焊接钢管,焊缝必须光滑,不允许有裂口及未焊透之处;管子外径的允许偏差是 ±15%;管壁厚度允许偏差为 ±20%,管子制作后,要根据要求进行水压试验。

3.水煤气管　在造船中一般采用镀锌水煤气管。水煤气管的表面具有一层耐腐蚀层——锌层,以增加管子的耐腐蚀能力。其直径为 6~152mm,长度为 4~7m,管壁的厚度为 2.75~4.0mm。一般用于船舶的生活用水管路、便溺和污水管路等。水煤气管是根据 1/B234-63 的技术要求制造。

4.铜管　在造船中一般采用的铜管是紫铜管和黄铜管,紫铜管和黄铜管都分为拉制管和挤制管两种。紫铜管拉制管和挤制管分为软管(退火管)和硬管(未经退火处理的管),紫铜管的长度一般是4m,厚度为0.5~30mm;直径从4~300mm。紫铜管分为T2,T3,T4几种型号,其拉力试验要符合表1-7的规定。

表1-7 紫铜管拉力试验标准

材料状态	抗拉强度 σ_5 (MPa)	伸长率 δ_{10}/%
软 管	206	35
硬 管	294	3

在船舶管系中所采用的紫铜管大部分为T3铜,根据1/447-70的技术标准制成的。其含氧量不大于0.1%,铅含量不大于0.1%,杂质的总含量不大于0.3%。当壁厚为0.5~1.0mm时,允许偏差为±0.10,壁厚为1.5~10mm时,允许偏差可不超过9%。

紫铜管经退火处理后的软管,塑性好、质地柔软、便于弯曲。紫铜管导热性能好,耐腐蚀力强。但是成本高,工作介质的使用压力一般在0.5~1.0MPa,民用船只采用很少,主要用于军舰及特种船舶的建造。由于紫铜管的导温性能好,在船舶的制冷系统中采用较多。

黄铜管一般采用H62黄铜管,按1/448-77标准制造。黄铜管系铜锌合金管,其传音性能优于其他管材,但不易弯曲和加工,所以仅在传话管系中使用。应用规格直径为42mm或38mm,管壁厚度为1mm。黄铜管的拉力试验要符合表1-8的规定。

表1-8 黄铜管拉力试验标准

牌号	材料状态	抗拉强度 σ_b (MPa)	伸长率 δ_{10}/%
		不 大 于	
H62	半硬管	333	36
H62	软 管	294	38

5.铝管 铝管在船舶管系的采用中,所占比例很小。一般用于小型快艇的管系,铝管具有耐腐蚀,塑性好,质量轻等优点。直径为4~70mm,管的壁厚为1~2mm,长度为4~6m。船舶管系中使用的铝管为LF2M防锈合金铝制成的铝合金管,均为软管,易冷弯成型。一般使用在工作介质为0.3~0.4MPa的管路中。

6.双合金管 双金属管由内包覆层(含锰0.5%~0.8%的锰铜)和外包覆层(10#优质碳素钢)组成,包覆层的厚度为0.8mm。一般它的机械性能是:抗拉强度不小于3.0MPa,长试样的延伸率不小于22%。管子制成后,需要进行热处理,以保证必要的机械性能。双金属管的直径为6~70mm,管壁厚度为1.5~6mm,长度为3~7m。双金属管包覆层厚度允许偏差为±0.3mm。

7.塑料管 近几年来,塑料管是在船舶管系中采用比较多的一种非金属管,塑料管具有耐腐蚀、质量轻等优点,但也存在一些缺点,在日光曝晒下易老化,耐热性能差,易变形。近几年塑料管的这些缺点有所减少。塑料管主要用于船舶的低压水管系。塑料管的直径从

14～150mm，管壁厚度为0.5～10mm，长度为6m以上。船舶管路中常采用的塑料管型号为ABS，MBS等。

8.橡胶软管　船舶管系中使用普通耐油胶管和夹布胶管，直径为6～120mm，长度不等。夹布胶管一般用作管子的连接套管，耐油胶管和普通胶管作为软管连接管路使用。

习　题

1.什么叫管路？什么叫船舶管路系统？

2.船舶管路系统可分为哪两类？各包括哪些系统？

3.船舶管路通常使用的管材是哪些？

4.通常可供无缝钢管的直径、长度 壁厚范围各为多少？

5.采用无缝钢管时，其内外表面不允许有裂缝、折叠、结疤、轧折和发纹等缺陷存在。如有上述缺陷应当完全清除，被清除过的部位不得超过无缝钢管的负偏差，请问对热轧无缝钢管和冷拔无缝钢管，它们的普通管和高压管壁厚允许的负偏差各为多少？

6.通常可供水煤气管的直径、长度 壁厚范围各为多少？

7.通常可供紫铜管的直径、长度 壁厚范围各为多少？

8.紫铜管经退火处理后的软管，塑性好，质地柔软，便于弯曲。紫铜管导热性能好，耐腐蚀力强，但是成本高。请问紫铜管通常用于哪些系统？

第二章　管装生产设计基础与壳、舾、涂一体化

第一节　船舶生产设计主要特点

一、基本概念

现代造船的生产设计就是综合考虑在何时、何地、使用何种材料，采用何种方法最合理的高效率的生产建造计划。具体地说，在船舶设计过程中，在确定了船舶总的建造方针的前提下，以详细设计为基础，根据船厂生产实际（即施工的具体条件），按工艺阶段施工区域和单元，编制各种工艺和各种管理数据的工作图表以提供生产信息文件，满足中间产品独立生产的一种设计过程。简单地说，也就是根据详细设计的图纸，以中间产品为导向，在纸上先“造”一次船，从而对造船的全过程作出详细的分析，得出准确的生产信息。这样，我们的生产过程才能有据可依，有章可循。

船舶设计过程始于总体性能设计，在其基础上，分系统按功能和专业进行详细设计，解决造什么样船的问题。按设计阶段划分为初步设计和详细设计，属系统设计。在详细设计基础上，进而转入按系统/区域的转换设计，以便按区域/阶段/类型完成怎样造船与怎样合理组织造船生产工艺设计。该设计阶段提供的工作图和管理图表作为指导现场施工的依据。

生产设计以现代造船模式组织造船生产为原则，解决怎样造船为目的的区域设计，其设计理论是运用成组技术原理和统筹优化理论。怎样造船就是应用成组技术原理，将船舶产品按其形成的制造级，以中间产品的形式对其进行作业分解和组合。即按作业性质把船舶建造分为船体、船装、涂装三种作业类型；按产品的空间部位划分的区域进行分类成组作业，一般划分为机舱区、甲板区和上层建筑区三大区域；同时在各大区域内再划分中小区域进行分类作业；按区域内划分的中间产品按其类型进行分类成组作业，例如以船体分段作为中间产品可分下面、曲面和上层建筑三种不同类型的分段，以舾装的中间产品为例，则可分为各类托盘（单元）；按区域划分的中间产品以所处的作业阶段或制造级进行分类成组作业，例如船体工程一般分为零件加工、部件装配、分段制造和船台总装等四个作业阶段。舾装工程一般分为单元及自制件制作、托盘集配、分段预装、总组（总段）舾装和船内舾装等五个阶段。涂装分为原材料预处理、分段涂装、船台涂装和码头涂装四个作业阶段。通过生产设计加以规划，按区域分类成组，建立区域设计方式。怎样合理组织造船生产就是应用统筹优化理论，从壳、舾、涂三类型作业，从设计、生产、管理互相结合，从全局的角度统筹协调各系统、各方面，使船舶建造整体优化，这是造船生产作业体系的相互关系的准则。该准则就是两个“一体化”，即壳、舾、涂一体化和设计、生产、管理一体化。

生产设计与工程管理的相互对应，相互结合，既保证了按区域组织生产的实施，又保证了提供现场施工的设计图表能在工程管理的控制下切合生产实际，使之成为融设计、工艺、

管理一体化的设计图纸。

二、主要特点

生产设计是在解决造什么样船的基础上，对怎样造船通过设计，进行合理规划以适应现代造船模式的生产作业体系进行组织生产的要求，具有以下主要特点：

1.按区域设计　现代造船模式的一个显著特点是按区域组织生产，所以必须按区域进行设计，以便设计与生产相对应；

2.以中间产品为导向的设计　在设计的过程中，把所设计的产品做为最终产品，按其所划分的制造级进行逐级分解，以组合成各类零部件、分段、托盘等不同的中间产品，连同其所需的全部生产资源，以生产任务包(托盘)形式进行设计；

3.贯彻设计、工艺、管理一体化思想的设计　设计中，必须做好设计、工艺、管理的有机结合，以先进的工艺技术，扩大预舾装，在统筹优化的前提下，相互协调，从怎样合理组织造船生产的角度提出要求，以设计形式把怎样造船体现在设计图和管理图表上，作为指导现场施工的依据；

4.贯彻壳、舾、涂一体化管理思想的设计　强调在设计中，必须做好壳、舾、涂三类作业的有机结合，在一体化建造计划的指导下，通过壳、舾、涂生产设计之间的协调，以最大限度满足各作业的均衡，连续地总装造船；

5.各设计阶段相互结合　强调设计必须事先做好工程管理方面的准备，包括技术准备、计划准备和工程控制准备，把事先准备作为开展设计工作的前提，并在设计过程中，做好各设计阶段的渗透衔接工作，使设计的事先准备能与各设计阶段的相互结合贯穿在设计过程的始终。

第二节　管装生产设计主要内容

管装生产设计是指管系舾装设计。生产设计是按区域设计的原则，甲装、机装、内装生产设计内容包括管装生产设计，管装生产设计主要内容是提供如下的工作图和管理图表作为指导现场施工的依据。

一、综合布置图

船舶产品，除船体结构外，还必须设置具有各种功能的机电设备和装置，并配备和敷设为这些设备和装置服务的各种管路、电缆、辅助装置等大量的舾装件，为使其安装布置合理、适用，就必须从全局出发，预先在图面上分区域进行全面规划，综合布置和统筹协调，使各专业，尤其是管系在各个区域内的矛盾和问题在图面上得到解决后绘制的图纸，这就是综合布置图。

综合布置图是在详细设计的基础上转换为区域设计的关键图，是舾装生产设计的基础和依据，不提供用于现场施工。

综合布置图按区域划分为机舱区、甲板区和居住区及专业舱室等综合布置图。

综合布置图中管系布置一般采取下列布置原则：

1.管路布置尽量采用与设备或框架组成一体的单元组装形式，分段预装、总组(总段)舾装等舾装方法；

2.各类管路的布置除粪便污水管等特殊管路，平面布置的应平行或垂直船体中心线，上下之间的应垂直布置，靠舷边布置的应顺舷边布置，应做到平直、并列、整齐；

3.多层管路，同层的应平行布置在同一高度，并考虑管子拆装的方便性；

4.管路布置时，一般应优先考虑自流管路，大通径的和包绝缘的管路；

5.管系附件并行布置时，应考虑操作的方便性，本体间距在15mm以上；

6.居住区管路尽可能布置在内走道，压力管、蒸汽管尽可能避免穿过居住舱室；

7.有人孔的舱柜，管子布置不得妨碍工作人员的进出；

8.上下穿过居住舱室及冰库、粮库等工作舱室时，应该隐蔽和避开舷窗等开口，尽可能安排在隔热层内，穿过冰库、粮库等地方，不得有可拆接头；

9.测量管和吸入口应布置在舱柜最低处，空气管布置在最高处，并与出口尽量远离；舱柜进口安排在舱柜顶部的，应在舱柜内用管子引至舱柜下部；

10.管路避免布置在电气设备之上，油类管路要远离排气管等高温处，热源管路离开电缆的距离要遵守有关规定；

11.管路连接件、附件的配置

(1)分段预装及大型单元组装管路在安装、搬运条件允许的情况下，管段划分尽可能长；

(2)分段之间连接的调整管，长度一般取800mm左右；

(3)在热交换器等设备的拆卸空间内管路的管段划分，应在方便拆卸的最小长度处设置连接件；

(4)露头液体管路、消防管路等，应在最低之处安装放泄附件；

(5)温度检测、控制仪表探头，应垂直安装，确保测温点到达管子中心处，并应顺着管内流体流向安装；

(6)管路通过有水密、油密和危险区域等要求的隔壁处应用通舱件，保证水、油密要求及危险区域分割的完整性；

(7)管路透过纵桁、强横梁及肋板、纵骨等船体结构时，开孔和补强应满足有关规定。

12.管路支架的布置

(1)一般管路安装，原则上采用标准支架，支架间距的条件是防止管路振动和扭曲；

(2)支架一般焊在结构上，不能直接焊在外板上和薄围壁上，不可避免时，应加装复板，焊在复板上；

(3)特殊管路支架，例如弹性吊架等要按图纸要求配置；

(4)管夹的选用，要注意有特殊安装要求的一定要符合要求；例如油船的货油管路及危险区域的管路的管夹须采用绝缘隔离的管夹，液压管路及空调等管系都有对管夹的特殊要求。

二、管系安装图

管系安装图，主要是提供管系安装的依据，是由综合布置图进一步深化而成，按照划分的中小区域和工艺阶段分别绘制，主要有分段预装图，单元组装图和区域安装图等。

管系安装图主要反映：管路安装的相对位置、管系零件标识、管路附件的安装方位、流向和标识、管路安装高度等管系安装要素。

1.管系零件的标识

管系零件数量较多，为了防止混乱，便于检索和分类安装，通常用管系零件标识来表达该零件附属管系系统名称，工艺阶段和零件编号，即管件编码。

例如：压缩空气系统在分段上预装的一号零件的编码表示如下：

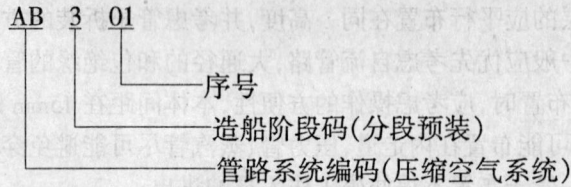

AB 3 01

01——序号

3——造船阶段码（分段预装）

AB——管路系统编码（压缩空气系统）

2.标准阀件和附件用不带年号的标准号标识，非标准件采用该附件设计时的计算机输入代号，具体规格型号需参照管系零件图。

三、管系开孔及附件安装图

在综合布置图中，管子通过船体结构的开孔一般分为两部分，一部分是在船体生产设计图上直接反映了开孔坐标和尺度，另一部分是绘制专门的开孔和附件安装图。主要反映了开孔坐标、尺度和通舱件规格，型号和安装方位等安装要求，使开孔工作和通舱件安装由专门的熟练工人担任，保证开孔、安装质量。

四、管系零件图册

管系安装图是提供管子零件图的主要来源，零件图主要用于制作。其主要内容包括图样的编码、船名、管件编码、区域、材料规格、弯曲半径、弯模、弯管程序、图形、船上安装坐标和校管坐标及下料长度，连接件规格和数量等，并且表达了加工特征、水压试验、焊接方式、表面处理等管件加工编码。

管子零件图格式，现在一般是平面投影，采用计算机绘制，通常包括图样和表格两部分。

零件图包括管系专用附件图，支架图也是一种管系零件图，管系吊架一般选用标准支架，只有特殊的才绘制管子吊架图，其内容主要包括：制造图编码、支架编号、材料规格和数量、管夹型式和表面处理及制造草图等。专用附件制造图，主要是指非标准的复板，挡水圈、法兰等。

五、单元框架、管子护罩图

单元框架是单元组装的构架，一般是交通装置的一部分，如花钢板支架、步桥等，主要由铁舾件组成，其内容包括：图样编码、材料规格及数量等。

在甲装管系中，管子护罩图是一项很重要的设计内容。其作用是防止管子遭到碰撞而损坏，保证通道的安全通行，特殊舱室的防滴防漏等。主要材料选用型材、薄板或管子制成，一般可拆卸，利于管子的维修和保养。范围一般包括：舱室内甲板上的护罩、甲板露天部分护罩、货舱口围板处的护罩、货舱内护罩等。

六、管理图表

管装的管理图表是管装生产设计一个重要组成部分，由托盘管理表、汇总表及各种有关清单及作业管理图表构成。

1.托盘管理表

托盘管理表是现场按托盘组织生产的主要依据，是用来表达按区域/阶段/类型划分的舾装件制作、安装的工艺信息，是作业单元的管件汇总，并包括安装区域、阶段等内容，根据安装的管件多少，一个分段、单元、区域可以由一个或多个托盘组成。托盘管理表由五种表组成：即管子清册，管子支架清册，管系连接件明细表，阀件及附件明细表，设备明细表和托盘管理表汇总表。

(1)管子清册

管子清册主要提供管子加工使用，包括工程编码、托盘编码、管件编码、加工编码、管材规格长度及水压试验要求等。

(2)管子支架清册

管子支架清册由两部分组成，一部分是表格，另一部分是图样，包括与管子清册相同的工程编码、托盘编码及件号。代号长度、数量、管夹型式和数量，支架用角钢规格、长度和材料、表面处理等内容。非标准支架必须另外绘制相应的支架图，供内场加工制造。

(3)管系连接件明细表

将本托盘内所需要的管系连接件汇总，供管子装配使用，主要包括工程编码、托盘编码、连接件名称、图号、数量等内客，属自制件，通常也将管子吊架清册中属自制件的归入本表，外购的归入阀件及附件明细表。

(4)阀件及附件明细表

将本托盘内阀件及附件汇总，供生产管理人员和生产工人使用，主要包括托盘编码、阀件及附件名称、图号型号、数量、来源等内容。属管系附件中需外购的舾装件都归入此表，例如标准弯头、大小头，外购的垫片等。

(5)设备明细表

设备明细表的作用与阀件及附件明细表相同，主要包括本托盘安装所需设备、箱柜、基座及其他各种装置。

(6)托盘管理表汇总表

托盘管理表汇总表的作用是将本托盘所有舾装件按类进行汇总，提供本托盘的工作内容和大致工作量。主要由表头、汇总表、施工明细表(提供本托盘制造、安装的依据)及备注栏组成。表头部分主要包括本托盘编码、名称、区域、阶段和工程编码。

2.其他管理图表

在托盘管理表编制完成的基础上，还要根据生产管理需要，完善详细设计有关表册和编制有关表册，主要内容如下：

(1)管材及管系阀件、附件汇总表(外购部分)；

(2)管系连接件汇总表(自制件部分)；

(3)取样管清册及附件清册；

(4)管系表面处理清册(含管子镀锌、涂塑)；

(5)管系水压试验清册。

第三节　管装生产设计编码基础

编码是通过对某类事物或概念进行分析概括和规范后，按一定规则组合起来的符号和代号，它能代表事物名称、属性、特征和状态。它是人们统一认识，统一观点，交流信息的一种技术手段。编码过程实际上是按不同的目的要求，应用成组技术原理，把具有某种共同属性或特征的信息分类，以字符标记的形式对特定事物或概念的有关特性进行描述和标识的过程。把编码应用于船舶，建立船舶建造编码就是应用成组技术的相似性原理，把设计、生产、管理中体现的有关特征，以字母和数字的结合形式予以标识的一项设计技术。它的重要性主要体现在如下方面。

1.船舶建造编码，通过对设计、生产、管理三个领域内的有关要素特征进行分析，建立企业内部统一的编码和数据库系统，既可用于指导日常的生产管理，又可以广泛用于计算机作各种信息处理，计划部门可使用数据库的信息，制定计划日程；物资部门可以从数据库中提取物资清单，安排物资的采购、存储和托盘集配；生产部门可以从数据库中提取托盘清单，安排托盘集配计划以及作业计划等。船舶建造编码是企业管理现代化的一种体现。

2.为计算机辅助设计(CAD)和辅助建造(CAM)的应用创建了一个包含有大量基础信息的应用平台。

3.编码过程中建立起来的技术标准和管理标准，在企业内部建立一种简明扼要的语言，以这种语言系统地描述船舶建造过程，并把它贯彻到整个作业体系中，从而大大地丰富了标准化的内容。

一、船舶建造编码的原则与构思

1.编码原则

(1)要适应现代造船模式，满足设计、生产、管理一体化及壳、舾、涂一体化区域造船的要求。

(2)适应造船成本控制的需要，便于在各阶段、各个区域对造船成本的统计、控制与核算。

(3)作为造船设计、生产和管理的信息载体，其所载信息具有惟一性。

(4)编码形式、代码符号应适应计算机运作要求，易于被计算机识别和处理。

(5)编码结构与处理方法一致、简明扼要，应具有一定的科学性、实用性和系统性。

(6)要具有可扩充性，容易维护，以便适应将来发展的需要。

2.编码构思

船舶建造编码应由工程分解与组合的作业组织和按系统转换为区域进行成本管理两条主线组成。

(1)作业组织编码构思

中间产品分解的方法，实际上是划细生产作业单元，将各种舾装件的制造从船体分段和管加工的主生产线中分离出来，船体采用分道作业，舾装采取区域舾装方式，起初各自分流，从分段开始合而为一，从而形成船舶建造、舾装和涂装在空间上分道，在时间上有序的生产过程，为此，船舶建造编码要建立在对设计、生产、管理过程的信息流和物流进行分类的基础上，按船舶区域，安装阶段，作业类型分为托盘(舾装)或分段(船体)，然后根据托盘或分段来构思零部件的代码。

(2)成本管理的编码构思

生产任务按产品生产特征分类，成本按产品资源分类。因而，材料成本可按系统预算，而工时费用按区域/阶段/类型预算。船舶建造编码要建立在对构成船舶产品的信息流和物流进行分类的基础上，将船舶划分成各个系统，再对各个系统进行成本区分，然后由系统转换成区域，进而确定部件和零件的成本区分代码。

二、管装生产设计编码的主要内容

船舶建造编码系统分为综合管理、设计管理、生产管理、物资管理、成本管理五大类。管装生产设计编码内容都包括在设计管理内，下面主要介绍管装生产设计编码的有关内容。

1.舾装生产设计图样文件编码

根据设计管理特点和工程管理的需要，将生产设计图样文件编码建立在不仅能体现作业对象，还要能体现施工要求、施工区域、施工阶段及类型等。因此，舾装生产设计图样文件编码是按区域/阶段/类型来进行图样和技术文件编码的。舾装生产设计图样和技术文件编码包括除船舶工程外的舾装各专业，这里重点介绍管装生产设计图样和技术文件编码。

(1)图样和技术文件编码结构

图样和技术文件编码结构如下所示。

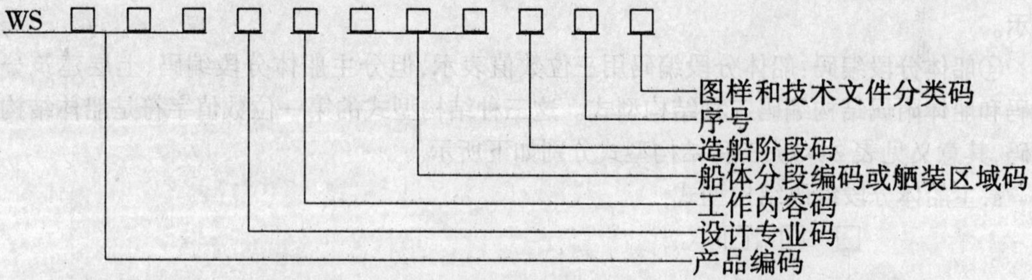

①产品编码由工厂代号、船舶分类号、该类产品序号三个要素构成，表示如下：

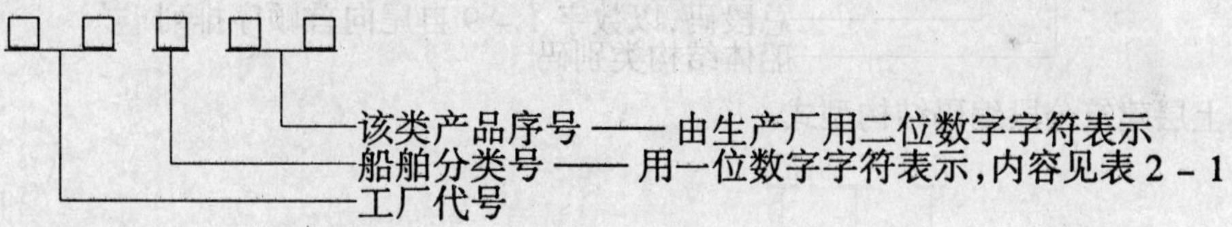

表 2 – 1　船舶分类号代码表

代码	内容
1	战斗舰艇
2	辅助舰船
3	海洋开发用船
4	客船、客货船、货船、游艇
5	油船、液货船、化学品船
6	拖船、港作船、渡船、推船
7	驳船、趸船、舟桥
8	渔业船、农用船
9	其他

②设计专业码：设计专业码用一位数字表示，内容见表 2 – 2。

表 2－2　设计专业码代码

代码	专业名称	专业内容
1	综合总体	船舶设计总体上的综合策划及各专业间的技术协调
2	船体结构	主船体、上层建筑结构及船体附属结构设计
3	涂装	除锈处理与涂装设计
4	甲装	甲装区域的铁、管舾装设计
5	机装	机装区域的管舾装、铁舾装和主机轴系的设计
6	电装	电气设备、电缆及电气专业舱室铁舾件的舾装设计
7	居装	木舾装、居住区铁、管舾装设计

③工作内容码：工作内容码用一位数字表示。舾装各专业的管舾类工作内容以数字 4 表示。

④船体分段编码：船体分段编码用三位数值表示，但分主船体分段编码、上层建筑分段编码和船体附属结构编码三种结构型式。这三种结构型式的第一位数值字符是船体结构类别码，其意义见表 2－3。三种结构型式分别如下所示。

a. 主船体分段编码结构型式

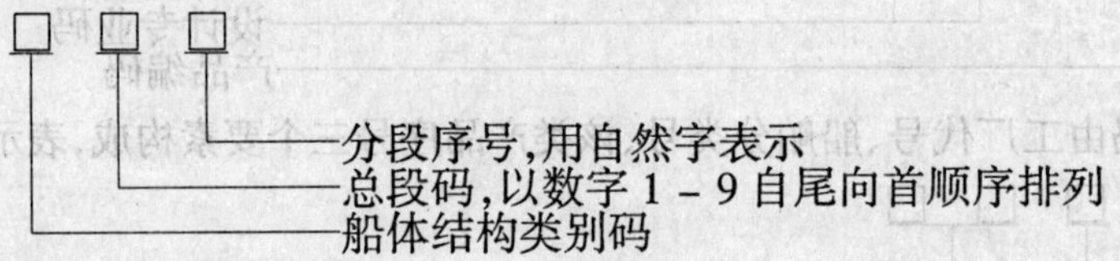

b. 上层建筑分段编码结构型式

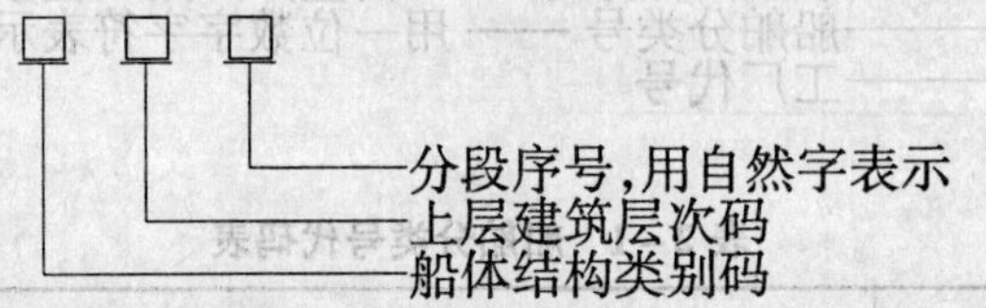

c. 船体附属结构编码结构型式

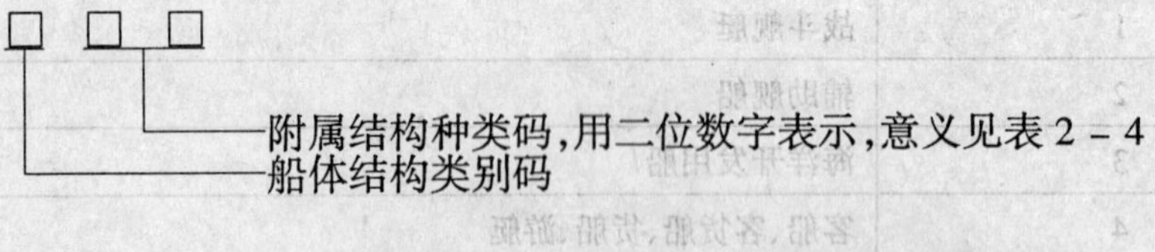

表 2－3　船体结构类别码代码

类别码	船 体 结 构 型 式
1	主船体立体分段
2	上层建筑分段
3	船体附属结构分段
4	主船体底部分段

表 2-3(续)

类别码	船体结构型式
5	主船体舷侧分段
6	主船体甲板分段
7	主船体纵向舱壁分段
8	主船体横向舱壁分段

表 2-4 附属结构种类码代码

种类码	附属结构名称	种类码	附属结构名称
11	艉柱	12	艏柱
31	烟囱	41	舷墙
42	桅	51	舱口围板
61	独立甲板室	81	护舷材
82	舭龙骨	83	艉轴支架
84	导流罩	85	固定减摇鳍
90	其他结构		

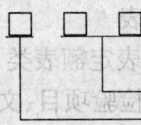

⑤舾装区域码表示如下：

□ □ □

——区域码,用二位数字表示,意义见表 2-5

——0

表 2-5 区域码代码

类别码	区域范围
01~09	内底部分
10~19	内底——舷侧纵桁(内底——二甲板下)
20~29	舷侧纵桁——主甲板下(二甲板——上甲板下)
30~39	机舱围井和烟囱
40~49	干舷甲板下机舱后壁向艉
50~59	干舷甲板下机舱前壁向艏
60~69	第一层上层建筑
70~79	第二层上层建筑
80~89	第三层上层建筑
90~99	第四层及以上层的上层建筑

⑥造船阶段码,用一位数字表示,意义见表 2-6。

表 2-6　造船阶段码代码

造船阶段码	工　作　内　容
0	不分阶段或生产技术准备
1	下料加工及零件制造(含铁舾件及管托盘制造)
2	部件、组合件及单元的制造
3	分段制造及分段预舾装(胎架上)
4	分段制造、预舾装(离胎架)、涂装
5	盆舾装(指机舱或泵舱舾装)
6	船体总段装配、总组(总段)或区域舾装、涂装
7	船台舾装、外壳涂装、下水
8	码头舾装、系泊试验
9	试航

⑦图样和技术文件分类码,用一位数字表示托盘表,用字母表示分类

A—目录表　　B—技术说明书
C—计算书　　D—总图、布置图类
E—系统原理图　　F—原理图类
G—制造图类　　H—安装图类
J—汇总表、明细表类　　K—厂商表
L—管理图表及配套表类　　M—项目表定额表类
N—备品备件、供应品清册　　Q—质量检验项目、文件类
R—专用工装、工艺文件类　　S—试验大纲、试验方法
T—报告、总结类　　V—虚图
Y—电气接线图　　Z—其他类
0—9 托盘表

(2)舾装生产设计图样和技术文件编码说明

①凡属全船性和船舶总体性能的生产设计图样和技术文件编码中的分段编码或船装区域码的三个码位以数字“0”表示。

②用于分段预装和需在船体分段内预装的单元组装的舾装生产设计图样和技术文件应以船体分段编码表示。

③用于区域内舾装的生产设计图样和技术文件应以舾装区域码表示。

④托盘编码前七位与相应的安装图编码一致,第八位为该安装图所需托盘号,以数字 0 ~9 表示。

(3)编码示例

例 1　4800t 油船 45 # ~ 52 # 机舱上甲板分段(621)管系预装图编码为

WS501　5　4　621　3　1　H

- H — 安装图类
- 1 — 造船阶段码(分段预装)
- 3 — 序号
- 621 — 船体分段码(621 分段)
- 4 — 工作内容码(管舾装)
- 5 — 设计专业码(机装)
- WS501 — 产品编码(4800t 油船)

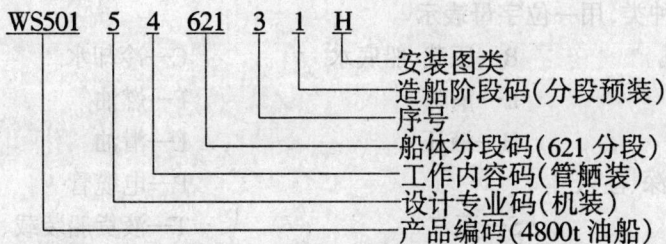

例 2　4800t 油船区域舾装(N 区),序号为 1 的管系安装图的第一个托盘的编码为

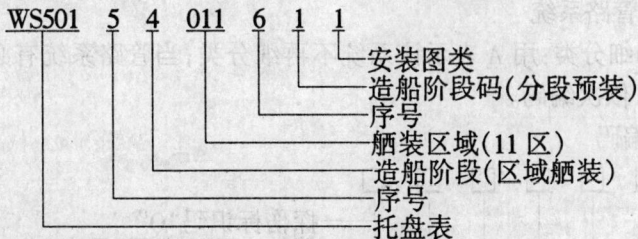

WS501　5　4　011　6　1　1

- 1 — 安装图类
- 1 — 造船阶段码(分段预装)
- 6 — 序号
- 011 — 舾装区域(11 区)
- 4 — 造船阶段(区域舾装)
- 5 — 序号
- WS501 — 托盘表

2.管系零件标识的编码

管系零件标识的编码就是用一组代码全面描述管件从下料加工到上船安装的工艺流程。包括工程编码、管件制造图册编码、管件编码、管子加工编码,其中工种编码反映了产品对象,管件制造图册编码主要描述了该零件在什么阶段安装到什么区域,管件编码则反映了该零件所属系统和序号,管子加工编码描述管子加工工艺流程。

(1)工程编码,一般用五位字符表示,表示如下所示

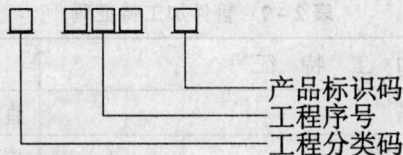

□　□□□　□

- 第五位 □ — 产品标识码
- 第二至四位 □□□ — 工程序号
- 第一位 □ — 工程分类码

①工程分类码,用一位字母表示

A—船舶产品　　B—机电产品　　C—船舶修理

D—金属结构　　E—压力容器　　S—装饰工程

②产品标识码,用一位字母表示

J—国内军品　　K—出口军品

L—国内民品　　M—出口民品

N—由二级部门总承包国内民品

P—由二级部门总承包出口民品

③示例,A022L 表示国内船舶产品,第 22 艘船。

(2)管件制造图册编码,参见舾装生产设计图样和技术文件编码。

(3)管件编码,一般用五位字符表示,表示如下所示

□ □　□　□ □

- 第四、五位 □□ — 序号
- 第三位 □ — 造船阶段码
- 第一、二位 □□ — 管路系统编码

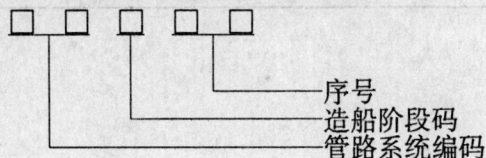

管路系统编码用二个字符表示,其中第一位字符表示系统种类,第二位字符表示系统的细分类。

①管路系统种类,用一位字母表示

A—压缩空气　B—压载、船底水　C—冷却水

D—疏排水　E—消防　F—燃油

G—排气　H—液压　L—滑油

M—透气、测深、注入　P—电缆管

R—制冷　S—蒸汽　T—液货船装载、输送、清洗

V—通风　W—生活水

X、Y、Z—特种管路系统

②管路系统码细分类:用A表示该系统不再细分类;当管路系统有必要进一步按功能细分类时,用B~Z依次编码。

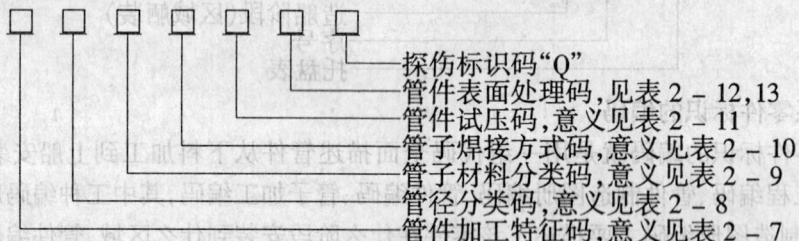

(4)管件加工编码

□ □ □ □ □ □ □

探伤标识码“Q”

管件表面处理码,见表2-12,13

管件试压码,意义见表2-11

管子焊接方式码,意义见表2-10

管子材料分类码,意义见表2-9

管径分类码,意义见表2-8

管件加工特征码,意义见表2-7

注:管件表面处理码,前位为外壁处理方法码,后位为内壁处理方法码。

表2-7　管件加工特征码

代码	加工特征	适用范围
1	下料—装配—焊接	直校管
2	下料—弯管—装配—焊接	校弯管
3	下料—开孔—装配—焊接	有支管的直校管
4	下料—弯管—开孔—装配—焊接	有支管的弯校管
5	下料—倒坡口(攻丝)—装配—焊接	需倒坡口的校管
6	下料—倒坡口(攻丝)—装配—点焊—试装—焊接	需倒坡口试装管
7	下料—试装—焊接	直试装管
8	下料—弯管—试装—焊接	弯试装管
9	下料—装配—焊接—弯管	先焊后弯管
0	取样—制造	取样管
A	下料—卷制—焊接	
B	下料—制造—焊接	

表 2-8　管径分类码

代码	管径范围(mm)	代码	管径范围(mm)
1	D_N3～20	4	D_N100～200
2	D_N25～50	5	D_N250～500
3	D_N65～80	6	D_N500 以上

表 2-9　管子材料分类码

代码	材料分类	代码	材料分类
1	普通无缝钢管	6	黄铜管
2	高强度无缝钢管	7	白铜管
3	水煤气管	8	铝 管
4	不锈钢管	9	容器专用管
5	紫铜管	10	其他管

表 2-10　管件焊接方式码

代码	焊接方式	代码	焊接方式
1	手工电焊	6	氧乙炔焊
2	氩弧焊	7	锡焊
3	二氧化碳保护焊	8	氩弧焊(手工焊盖面)
4	紫铜电焊	9	其他特殊焊
5	自动或半自动焊		

表 2-11　管件试压码

代码	种 类	试验压力 P 范围(MPa)	代码	种 类	试验压力 P 范围(MPa)
1	低压	0～0.4	4	高压	4.0～10
2	中低压	0.4～1.6	5	超高压	10～40
3	中压	1.6～4.0			

表 2-12　管子表面处理方法码

代码	处理方法	代码	处理方法	代码	处理方法
0	不处理	4	涂塑	8	冲油
1	清洗	5	油漆	9	磷化
2	电镀锌	6	厚浆环氧树脂漆		
3	热浸锌	7	绝缘		

表 2–13　常用管子表面处理编码

代码	表面处理方法	代码	表面处理方法	代码	表面处理方法
00	不处理	33	热浸锌	54	内塑外漆
11	清洗	42	外塑内镀	60	外涂厚浆环氧树脂漆
18	清洗冲油	44	全涂塑	66	内涂厚浆环氧树脂漆
22	全镀锌	50	外涂漆	70	外包绝缘
24	外镀内塑	51	清洗涂漆	99	磷化

(5)管件加工编码示例

某管件的加工特征为“下料—弯管—试装—焊接”，管径在 $D_N65 \sim 88$ 之间，管子材料为普通无缝钢管，焊接方式为手工电焊，试验压力 $P = 0.4$MPa，表面处理方式为全镀锌，不探伤，其加工编码为 831122。

第四节　壳、舾、涂一体化基础

造船技术发展至今，按其技术水平，可划分为如下四级。

1.船体建造按结构功能以系统导向散装船体，舾装按使用功能以系统导向在船体形成后舾装。其特点是以系统导向组织船舶设计和生产。

2.焊接技术应用开创了船体分段的制造方法，船体建造按其结构特性划分成分段、部件，形成以区域进行流水作业，采取先形成分段，再上船台总装的船体建造工艺，舾装在分段上进行有限的预舾装。其特点是船体建造按其结构区域划分，而对舾装是扩大预舾装，但仍按其系统导向组织造船生产和设计。

3.成组技术在造船中的应用，船体采用了分道制造法，舾装采用了区域舾装，船舶设计纳于了生产设计，在生产设计前期就制定了建造方针，规定了设计要贯彻的区域舾装方案。其特点是按区域、阶段、类型组织造船设计和生产。

4.在船体分道建造和区域舾装的基础上，使中间产品的制造按类型分类成组，强化了船体建造、舾装、涂装三类作业的相互结合，实现空间分道，时间有序的优化排序。设计、生产、管理相互结合，并通过生产设计融为一体。其特点是以中间产品为导向，实现壳、舾、涂一体化和设计、生产、管理一体化区域造船。

第四级造船技术，引入成组技术，以中间产品为导向组织生产，是到目前为止的最先进的造船技术，是造船技术水平发展的结果，它具有壳、舾、涂一体化和设计、生产、管理一体化的特征。

一、壳、舾、涂一体化特征

壳、舾、涂一体化的造船方法，正在替代传统的造船方法，这种造船方法具有下列特征：

1.根据成组技术原理，以生产线有效的制造船体零件、部件、分段，按相同的施工工艺流程组建平面、曲面、上层建筑分段制造区域，使之作业均匀地协调分道作业；

2.把整艘船按空间而不是按系统划分成区域，对同一区域内的舾装件，按单元组装，分段预装和船上舾装三个安装阶段进行作业；

3.把集中在船台和码头上进行的涂装作业，尽可能前移安排到分段制造与分段上船台之间，避免相互干扰的涂装作业；

4.采用中间产品导向工程分解，按区域/阶段/类型的层次进行分解，把按船体建造、舾装和涂装三种不同性质的作业类型分解后的零件、部件、分段或舾装托盘等中间产品，按成组技术相似性原理分类归组，使之能分道作业，达到均衡生产的目的；

5.管件采取成组加工，应用成组技术原理，将管子按设计和制造过程的共同特征系统地分类成组，以形成足够的制造量，提高工作效率。

二、设计与工程管理相结合

实现壳、舾、涂一体化区域造船的作业体系，需在设计过程中合理规划，并在规划中做到与工程管理有机结合，形成设计、生产、管理一体化，而且应体现在整个造船过程。

1.生产技术准备阶段

此阶段实质上是模拟造船。从管理角度，经工程管理的早期策划，统筹协调，与此同时，船舶设计经系统设计到区域设计，在图纸上模拟壳、舾、涂一体化区域造船。设计方式是由工程管理提出建造方针，并在计划、物质等明确管理要求前提下，分阶段地进行设计，不仅要满足工程管理要求，而且要为工程管理提供管理的物量信息、工程管理的核心计划——建造程序计划，作为船舶设计的指导文件。建造程序计划和设计各阶段相对应，以指导各阶段设计。对应各设计阶段的程序计划可分为如下层次。

(1)建造法

订货初期，在了解船舶的主要技术参数，结构型式、主要设备、总布置图的基础上，粗略进行分段划分，确定初步的建造方法，施工原则和大日程节点安排，以便对周期有个概要估计。这是对应在初步设计阶段提出的。

(2)建造方针

在初步设计和详细设计阶段提出，它以船体为基础，舾装为中心，涂装为重点，并以现代造船技术为指导。通过工艺、计划、成本、质量、施工等综合平衡后提出的建造优化方案，作为指导全厂各部分工作的技术文件，又作为指导详细设计和生产设计的技术文件。

(3)施工要领

施工要领是按生产设计专业划分，将建造方针提出的各项内容，在设计、施工、管理的方法上加以具体落实，并从技术上指明各作业阶段以及各作业阶段的作业顺序与方式，特殊施工要点，作为指导生产设计和施工管理的技术文件。

船舶设计与工程管理相对应、相结合、相制约的设计方式，保证生产设计图表能在工程管理下，满足生产需要。

(4)造船工程计划

现代造船工程计划充分体现现代造船模式的区域管理，总装造船的思想，并在具体的计划中反映完整。造船工程计划就是壳、舾、涂一体化计划。它以建造方针为依据，把设计工作计划，材料订货计划、船体建造计划、舾装计划、涂装计划等合理组合，明确相互依赖关系，明确作业先后顺序，也明确相互协调关系。其造船工程计划主要内容是：

(1)造船线表

造船线表生成于合同洽谈的同时，往往是合同的附件，关键是建造周期的确定；

(2)负荷曲线表

目的是用工厂可用工时来论证计划的可行性,协调各作业区域和各阶段总工时的分配;

(3)建造综合日程表

综合日程表是建造计划的组织文件,从综合日程表中可显示设计、生产、管理一体化及壳、舾、涂一体化的管理思想,同时体现准备阶段和建造阶段各种协调关系以及区域、阶段和类型的工艺特征;

(4)船体建造日程表

船体建造日程表包括如下图表:

①船体吊装网络图

俗称船体大合拢计划表,它是船体建造日程表中最重要的一个计划,是分段制造计划、分段预装计划、托盘集配计划、涂装计划、船体内场下料计划编制的依据,并表达分段吊装顺序和吊装应满足的条件;

②分段制造日程表

分段制造是典型的中间产品生产区域,按中间产品的概念,包括分段装配,分段预舾装和分段涂装;分段制造日程表是以吊装网络时间需求为前提,以内场加工能力为基础,充分发挥平台和胎架的能力;

③平台负荷计划

④船体下料加工日程表

(5)舾装综合中日程表

在建造综合日程表的基础上,为方便舾装作业的组织实施,细化成舾装综合中日程表。由于舾装内容复杂、丰富、关连性又特别强,安装工艺又十分复杂,所以要列出主线条,抓住主线条展开相关项目的计划安排。舾装综合中日程计划可分舾装部分和试验部分编制。

(6)托盘集配计划

(7)物资供应计划

2.船舶建造阶段

船舶建造阶段实质上是总装阶段,此阶段设计提供的图表和技术文件与生产管理指令相结合,以确保产品按壳、舾、涂区域/阶段/类型进行组合,总装形成系统,直至形成产品。

第五节 托盘管理基础

一、托盘管理含义

现代造船模式是按区域组织生产和按区域进行设计,那么舾装件的采购、生产、安装和管理也必须按区域进行。但是按区域还不能适应整个舾装件生产管理的需要,因为区域有大有小,而且又是分阶段作业的,因此,只有将区域再按照阶段/类型的原则划分为更小的作业单元,即我们现在称之为舾装托盘的作业单元。舾装件的生产、计划、采购、成本管理均以舾装托盘为基础进行管理。

托盘是一个作业单元,又是一个供安装用的器材集配单位,即生产设计编制的托盘管理表及生产管理表册的最小单位,是内场制造、舾装件的采购,集配中心的集配和外场安装的最小单位，舾装托盘既有托盘管理表，又有钢结构组成的托盘。托盘管理就是以托盘为单位进行生产设计、组织生产、进行物资采购及工程进度安排，以致生产成本也可以以托盘为单位进行核算的一种科学的生产管理方法。

二、托盘划分原则

托盘划分的主要依据是建造方针和施工要领，特别是船体分段的划分及总组形式对划分托盘起决定作用。同时托盘的划分遵循互不跨原则，即不跨阶段、不跨区域、不跨部门和按工作量大小来划分托盘。即

1.按舾装阶段划分托盘；

2.按区域和安装位置划分托盘；

3.同一组施工人员完成同一托盘；

4.按工作量大小来划分托盘。

三、集配中心的作用

按托盘管理的要求，生产设计编制了托盘管理表，但生产作业以中间产品(托盘)为导向，按区域组织生产，就必须建立按托盘表进行舾装件集配的部门——集配中心。集配中心除了集配舾装件以外，还要制定舾装件生产、制造、集配的计划，负责托盘运送到现场，回收托盘等工作内容。集配中心作为托盘管理系统中的一个中心环节，起到了把舾装件的设计、采购、制造和安装连接成一个整体的作用。促使生产设计必须按托盘管理的要求设计托盘管理表，劳动组织必须与托盘管理的要求相适应。其作用如下：

1.按区域舾装的要求进行集配，提前制定舾装件的生产计划，及时发现各种漏洞，强化了生产技术准备工作；

2.加强物资管理，物供部门按期采购，减少库存和占有的流动资金；

3.按时将托盘运到施工地点，减少了舾装件的遗失现象和生产工人的辅助工时，确保现场施工工人固定在某一区域内连续作业，提高工时利用率和生产效率；

4.平衡舾装件(自制)生产进度计划，按托盘组织生产；

5.一定程度上可以保证预舾装工作的顺利开展。

四、集配中心的主要工作内容

集配中心一般归属于生产管理部门，负责完成它所承担的如下工作。

1.计划调度

舾装件分为自制件、外协件和外购件，因而关系复杂，某些舾装件周期长，工序多，涉及面广(如大型铸锻件、轴系等)这些都是影响工厂生产进度的因素，有必要成立一个协调机构负责舾装件的配套任务，主要工作内容：

(1)编制舾装件生产计划

依据工厂造船线表及综合日程表编制集配中心所负责的舾装件生产计划；

(2)编制配套计划

根据托盘管理表、月度计划及生产实际进度编制配套计划；

(3)组织计划实施

跟踪计划的执行情况及时协调各方面的关系，保证配套计划能按时完成。

2. 托盘集配

负责铁舾件、管子及管附件、电装铁舾件等的集中配套工作。

根据托盘管理表进行配套，负责将各种舾装件的生产信息、到货情况反馈到计划调度部门，将各种外购件交货期通知物供部门，以满足生产进度要求。其主要工作内容如下。

(1)铁舾件集配。主要包括门、窗、梯、盖系泊设备，锚泊设备等。这些大部分是外协件。

(2)管装托盘集配。管子由工厂自制，按托盘交付集配中心，并进行交接清点，阀件、附件、支架等要集配中心自己集配。

(3)电装铁舾件集配。主要是电装焊接件，集配中心按托盘管理表将自制件，外协件进行集配。

(4)风管集配。一般不进行集配，因管径较大，易损坏，数量少。

(5)内舾装件，目前大部分船厂不集配。

3. 存储、运送

(1)负责舾装件的存储与发放工作。

根据托盘管理表对工厂自制的舾装件进行入库验收、保管、放发工作。对通用件等非托盘对象物品要定期检查库存量，及时反馈补充。

(2)负责舾装件的搬运工作

负责所有舾装件入库搬运工作和根据造船管理部门计划和施工部门的申请，及时把托盘运到现场，同时负责托盘的回收工作。

表 2-14 是建造 4990 载重吨原油船 11 区(左舷)安装管托盘管理表。

表 2-14 安装管托盘管理表

<table>
<tr><td colspan="2">工程 A014L</td><td></td><td colspan="7" rowspan="2">托盘管理表</td></tr>
<tr><td colspan="2">编号 A022L</td><td></td></tr>
<tr><td colspan="2">发放单位</td><td>份数</td><td>托盘名称</td><td>舾装编码</td><td>舾装区域</td><td>舾装总数</td><td>合计重量</td><td>安装工时</td><td>安装日期</td></tr>
<tr><td colspan="2">档案处</td><td>1</td><td></td><td></td><td></td><td></td><td></td><td></td><td></td></tr>
<tr><td colspan="2">质保部</td><td>1</td><td></td><td></td><td></td><td></td><td></td><td></td><td></td></tr>
<tr><td colspan="2">生产准备处</td><td>1</td><td>序号</td><td>名称</td><td>数量</td><td></td><td colspan="3" rowspan="7">备　注</td></tr>
<tr><td colspan="2">船东</td><td>1</td><td>1</td><td>管子数量</td><td>64 根</td><td></td></tr>
<tr><td colspan="2">船检</td><td>1</td><td>2</td><td>管系连接</td><td>145 个</td><td></td></tr>
<tr><td rowspan="3">舰船事业部</td><td>资料室一</td><td>3</td><td>3</td><td>阀件附件</td><td>940 个</td><td></td></tr>
<tr><td>资料室二</td><td>5</td><td>4</td><td>管卡、支架</td><td>205</td><td></td></tr>
<tr><td>资料室三</td><td>4</td><td>5</td><td>角钢</td><td>30</td><td></td></tr>
<tr><td colspan="2">合　计</td><td>17</td><td></td><td></td><td></td><td></td></tr>
</table>

<table>
<tr><td rowspan="5">施工明细表</td><td>名　称</td><td>图　号</td><td>名　称</td><td>图　号</td></tr>
<tr><td>11 区管系安装图(左)</td><td>WS506.5401161H</td><td></td><td></td></tr>
<tr><td>11 区安装管零件图册(二)</td><td>WS506.5401161G</td><td></td><td></td></tr>
<tr><td></td><td></td><td></td><td></td></tr>
<tr><td></td><td></td><td></td><td></td></tr>
</table>

					4990 载重吨原油船	生产设计		
标记	数量	修改单号	姓名	日期	11 区(左舷) 安装管托盘管理表	WS506.54011612		
编制						件号	质量(kg)	比例
校对							2009.74	
审核						共 6 页		第 1 页
审定								
标检						武昌造船厂		
描图								

习　题

1.什么是生产设计?

2.造船生产作业体系的相互关系准则包括哪两个“一体化”?

3.船舶生产设计有哪些主要特点?

4.什么是管装生产设计?管装生产设计主要包括哪些内容?

5.综合布置图是在详细设计的基础上转换为区域设计的关键图,是舾装生产设计的基础和依据。综合布置图按区域划分为机舱区、甲板区和居住区及专业舱室等综合布置图。综合布置图中管系布置一般应采取哪些布置原则?

6.管系安装图主要反映哪些内容?

7.在综合布置图中,管子通过船体结构的开孔一般分为两部分,一部分是在船体生产设计图直接反映了开孔坐标和尺度,另一部分是绘制专门的开孔和附件安装图,它们主要反映哪些内容?

8.什么是编码?船舶建造编码有哪些意义?

9.船舶建造编码的原则与构思有哪些?

10.管装生产设计编码包括哪些主要内容?

11.舾、涂一体化的造船方法具有哪些特征?

12. 怎样才能做到设计与工程管理有机结合和形成设计、生产、管理一体化?

13.什么叫托盘管理?托盘划分的主要依据是什么?

14.集配中心的主要工作内容有那些?

第三章　预舾装技术

第一节　预舾装技术的变革与意义

船舶舾装工程具有品种多、工序多、协作面广、周期长等一系列特点，其中管子制造安装的工作量最大、周期最长、范围最大。因而舾装技术的变革必然以管舾装技术的变革为主线。

一、舾装技术的发展过程

船舶舾装技术经历了一段较长时间的变革，以管舾装为例，其发展过程大体可分为如下四个阶段。

1.传统的船内取样舾装法

在我国长期以来，几乎所有管系的制造和安装都是在船体形成后进行。设计、制造和安装都是按系统来分类的，特点是管路敷设需经“二上二下”，劳动强度大，作业环境差，周期长。这种落后的舾装方法，致使生产周期特别长，多工种混合作业造成工作协调困难，为了赶进度，又采取人海战术施工，事故隐患严重，安全生产难以保障。

2.综合放样，按系统预制预装舾装法

焊接技术在造船中的应用和提高，产生了船体分段制造法，给舾装工作的变革创造了条件。为了减轻劳动强度，改变“二上二下”的管子安装现状，参照船体放样的原理，又创造和应用了“综合放样”技术。根据船体结构图、线型图、施工设计图，以船体轮廓为背景，将机械设备，各系统管系及主干电缆，少量其他舾装件经统筹协调后布置在一张图上，并根据综合放样图设绘各系统的安装图、零件图和编制某些管理表等。开始进行有限的管子预制和分段预装及单元组装，虽然这种预舾装率不高，但还是使造船周期有了明显缩短。综合放样，按系统预制预装舾装法是以系统为导向，船台和码头舾装量很大；由于这一阶段还没有引入托盘管理方法，舾装作业还是非常混乱，只是部分地减轻了工人的工作强度。

3.推行生产设计，按区域预制舾装法

随着国内各大船厂承接出口船，技术交流日益扩大，国外先进的设计技术、新的造船技术和先进的管理技术不断引进，促进了舾装技术的大发展，结合中国国情，确立了中国式的舾装生产设计和托盘管理技术。生产设计应用成组技术原理和统筹优化理论，使原来的施工设计阶段在设计内容、方法、手段、出图范围和广度都有了很大的改变，并形成了一个新的设计阶段——生产设计阶段。

生产设计与综合放样的根本区别在于它的设计方法从按系统发展到按区域进行舾装综合布置，从按功能、系统绘图和编制技术文件转换到按区域、分阶段编制托盘表和设绘图纸，使单元组装、分段预装和总组总段预装的舾装方法进一步得到大量应用，并不断改善。随着计算机等先进设计手段的采用，加快了设计进度和保证了设计正确性的提高。同时托盘管理系统也在这时期逐步建立，强化了集配工作，基本理顺了生产流程和加强了生产计划管理。

4.深化生产设计，壳、舾、涂一体化造船

在上阶段的基础上，进一步深化生产设计，强调壳、舾、涂作业的相互结合和强化以船体为基础，舾装为中心，涂装为重点的管理思想，在工程管理上狠抓生产技术准备环节、早期策划和模拟造船，变现场调度为计划控制，实现空间分道，时间有序的优化排序，真正实现壳、舾、涂一体化造船。

二、舾装方法

随着造船技术的进步和舾装方法的改进完善，舾装件安装方式分为单元组装、分段预装、总组（总段）舾装和船内舾装。

1.单元组装

单元组装，亦称单元舾装，它是舾装的关键部分。它是指以某舾装件为主体，其他舾装件依附其上而形成一个组合件。或者以一定构架、基座或其他连接件将若干舾装件连成一个整体。单元组装在内场平台或组装场地装配，而与船体结构无关。避开了船体和舾装工作的重叠。其主要特点是可与船体建造同步进行。

单元组装按安装阶段分为分段单元、总组总段单元和船内单元三种。

2.分段预装

由于船体采用了分段制造法，因此创造了船体分段在制造过程和上船台之前进行舾装的条件。分段预装就是将舾装件或单元在分段制造过程中和上船台之前安装到船体结构上去的一种舾装方法。与单元组装相比，受船体分段制造进度影响很大。因此要求船体，舾装和涂装的设计和生产、管理各方面密切配合。

分段预装一般在船体分段装配平台或胎架上进行，也可以把分段移至指定的舾装场地进行。

(1)船体分段在装配过程中及其在构架上的预装。有些舾装件在分段形成后无法进行安装或安装不方便，而必须在装配过程中进行预装。例如双层底内的加热管等管路，就要在双层底外板未封之前进行安装。

(2)胎架上预装。在胎架或平台上装配的分段一般是倒置的，这时在甲板顶面上安装舾装件，称为胎架上分段预装。

(3)离胎架预装。当结构面，即胎架上预装完成以后，整个分段翻身，在甲板面上安装舾装件，称为离胎架预装。为利于双层底至花钢板这一区域的舾装，分段划分时，把舷外板高出花钢板300mm左右，形如盆状，这时，一般多采取单元吊入的舾装方法，如果周期允许，也可以进行区域舾装，这种方法也称为盆舾装。

3.总组（总段）预装

总组（总段）预装亦称为立体舾装，它是由二个及二个以上的船体分段装配后所完成舾装件的安装。如经预舾装的上层建筑整体吊装就属总组预装。

4.船内舾装

当船体大合拢后和下水后，在一个舱室，或在舱室的某个部位，或跨几个舱室进行安装舾装件即船内舾装。它包括易损设备和尺度与质量大的非单元设备吊装、各分段之间管子和电气散装件等的安装及备品备件和其他铁木舾装件的安装。这些舾装件的安装一般采取区域舾装方治进行。另外,船内舾装还包括船内单元的吊装。船内舾装可划分两个阶段。

(1)上面分段未吊装前,在敞开空间安装阶段。例如将船底或平台上的大型设备和船内单元在敞开的空间先行吊装就位,然后再进行甲板分段的吊装。

(2)在封闭空间安装阶段。在此状况下安装的舾装件大部分是较小的散装件。

三、舾装阶段的划分

船舶舾装按舾装方式可划分为单元组装、分段预装、总组(总段)预装和船内舾装四个阶段。也有的船厂将其划分为分段预装(胎架上)、分段预装(离胎架)、盆舾装、总组(总段)或区域舾装、船台舾装和码头舾装六个舾装阶段。

第二节 预舾装实施的基本要求

预舾装的目的是简化舾装工作,要领是将舾装作业提前,尽可能在船舶建造的初始阶段,在工作安全、出入容易的较好施工环境下完成舾装作业。具体地说,就是在内场平台上进行单元组装→在船体分段上船台前进行分段预装→总组(总段)或区域预装。达到空间分道、时间有序的均衡作业。

一、预舾装的优点

1.提高工作效率。实践证明,单元组装效率最高,分段预装次之,船内舾装较低。

2.改善工作环境和作业条件。

3.由于安装条件比船上好,因此安装质量可以得到保证,舾装质量更佳。

4.提高安全性。由于施工条件改善和解决多工种平行交叉作业问题,为安全生产创造了条件。

二、预舾装的基本原则

1.单元组装、分段预装后和总组(总段)预装后的质量控制在工厂起吊能力范围内。例如上层建筑的整体吊装,单元组装的吊装,都要满足其起吊能力和范围。并且被吊物体的主尺度不能妨碍吊车通道及起吊高度和顺利落位。

2.预舾装应都是按有关区域设计的图表和托盘管理方式进行。

3.凡属各层甲板面上焊接或安装的设备、箱柜、各类舾装件均为甲板面和总组(总段)预装的内容。对影响分段对接处施工的舾装件应安排在区域内或船内舾装阶段进行。

4.对于双层底至花钢板区域内的舾装件应采用盆舾装的方法。

5.烟囱、桅等应作为独立预装单元,整体吊上船安装。

6.上层建筑采取总组预装,与船台总装同步,整体吊装上船台。

三、单元组装的分类

单元是指一个区域,也是舾装的关键区域。由于与船体结构无关,且能内场组装,提高工作效率。根据生产条件和产品对象特征,单元组装按类型可分为下列几类。

1.设备单元

设备单元是指设备及连同所有相关的舾装件;包括基座、管子、阀件、支架、花钢板、花钢板支架等组合,也可进一步细分为以下几种。

(1)功能件单元

这类单元一般是设备厂提供。它把设备主体和附属装置及有关附件组合成一个整体。如制淡装置,它是以蒸发器为主体加上凝水泵、喷射泵、仪表和附件等组成单元。

(2)箱柜单元

以箱柜为主体,进行基座、设备、管子、阀件、附件、管支架等组合。

(3)设备单元

以若干台泵或其他设备的联合基座为单元主体,而进行设备、管子、阀件、附件、花钢板等的组合。

2.管子单元

以管子为单元主体进行组合,包括阀件、附件、管支架、花钢板及其支架等;以阀件为单元主体进行组合,包括管子及其支架等。例如减压阀组单元。

3.机舱区域大型单元

将机舱内双层底至花钢板这一区域划分一个整体单元,单元边缘与机舱前后壁、舷侧、主机和发电机基座根据需要离开一定距离,使单元吊装后有一定作业空间,根据工厂生产条件,可采取在内场整体组装,然后分块(单元)吊上船安装。

4.其他单元

(1)交通装置单元

以花钢板、格栅、梯子为单元主体进行组合,还可装上管子等其他舾装件。例如油船甲板上的步桥单元等。

(2)烟囱单元

以烟囱本体为单元主体进行排烟管、消音器等舾装件的安装组合体。

(3)卫生单元

卫生间预制单元是在内场完成卫生间设施的安装工作。根据单元装配方法,可分为整体型和组装型两种。

四、预舾装的实施基本要求

预舾装工作要很好的得到贯彻和实施,须首先在设计上按区域/阶段/类型进行产品作业任务的分解和组合。尽量扩大预舾装的作业量,首先考虑船上所有舾装件,能在分段预装;其次考虑分段内安装的舾装件,尽量采用单元组装的方式。加强船体、舾装、涂装的工作协调,同时在建造过程中,工程计划管理和设计工作相互结合,这样才能使预舾装工作达到简化舾装工作、提高生产效率的目的。

1.搞好设计和工程管理相结合是前提

(1)工程管理提出的建造方针和施工要领要突出以舾装为中心,尽可能为预舾装工作创造必要条件。例如分段划分要考虑扩大预舾装的可能。

(2)调整好壳、舾、涂的日程计划,要注意分段翻身,吊装与舾装、涂装的优化排序。

(3)生产设计要满足工程管理的需求,并在设计中合理规划,提高生产设计图表的正确性和合理性;使生产设计图表和生产管理文件真正成为施工的惟一依据。

(4)要按托盘管理的要求,搞好集配工作,将托盘按规定时间,完整地运到指定的施工现场,是预舾装工作开展的主要条件。

(5)搞好定置管理,为提高预舾装水平,设置足够的预舾装场所和配备必要的动力设施,理顺作业流程,调整设备位置,使之合理化,使预舾装工作效率更高。

2.搞好资材供应是保证

解决好托盘集配和生产施工中的设备和材料的供应,可以保证预舾装工作顺利开展。使资材供应按区域/阶段/类型有序的提供给施工部门。

3.壳、舾、涂一体化施工是提高生产效率的途径

壳、舾、涂一体化是以壳、舾、涂三类型作业在空间上分道、时间有序的立体优化排序的施工法,为扩大预舾装作业量,应重视下列问题:

(1)船体建造要考虑预舾装作业方便;

(2)船体分段划分,船台总装次序要充分考虑预舾装的实施;

(3)上层建筑要考虑总组整体化,方便舾装工作;

(4)分段预装不仅要进行结构面预装,还要尽可能进行甲板面预装;

(5)烟囱等独立结构采用单元舾装;

(6)机舱底部,液货舱甲板要广泛采用单元舾装。

第四节　舾装件预制

舾装件不仅数量及品种庞大,而且工厂自制的占相当比例,只有解决预制,才能为扩大预舾装及时提供高质量的舾装件。在自制件中管件的数量最多,工作量最大,解决好管件的预制,及时按托盘管理的要求提供,整个预舾装工作才能顺利实施。

一、管件预制的基本方法和要求

1.管件加工车间应按照成组技术原理进行规划和以排序、分线、分理三要点布置,提高管材利用率和生产效率。

2.管子加工场地应有足够的面积和动力设施,加工流程要顺畅、快捷、封闭。

3.积极推行先进的加工工艺。例如分道流水线等。

4.生产工人复合工种化,一专多能,强化管理,提高加工效率。

5.建立管件流水线要满足工厂总体规划中要求管件加工的能力。

6.管子加工流水线应当尽可能合理化,利用生产线原理来选择管件族和规划工艺路线。其生产线应有如下特征:

(1)工艺过程的标准化;

(2)操作的简单化和专业化;

(3)建立固定工位;

(4)工件沿着固定工艺路线输送;

(5)工人或生产小组工作位置固定。

7.以安装托盘的计划日程安排管件制作。

8.管件制造级是一种加工过程,是以加工特征分类成组。例如将管件制造级分为七级五个类型。图3-1是典型的管件制造级及其基本关系。

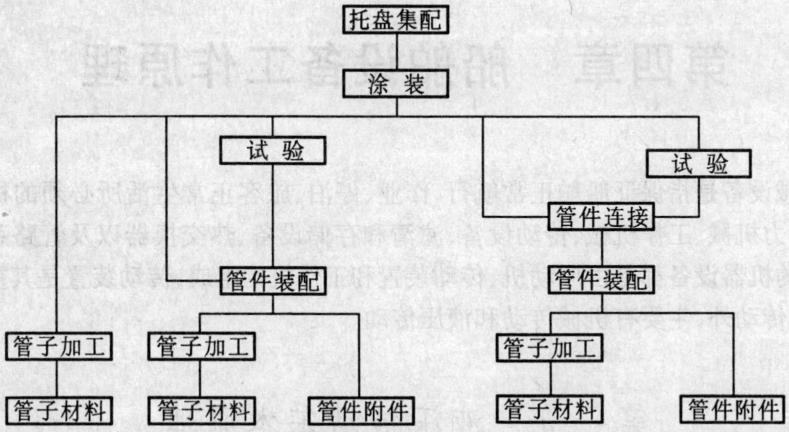

图 3－1　典型的管件制造级及其基本关系

二、扩大管件的预制量

在生产设计过程中，尽量扩大样管比例和作业量，经过精心设计和采取新工艺的方法。采取多层次的分段预装。扩大预装管的数量，减少现场取样管数量或者取样管设计成容易施工的管段。

综上所述，扩大管子的预制量是非常重要的，可以为预舾装率的提高创造良好的条件。

习　题

1.船舶舾装技术发展过程大体可分为哪几个阶段？
2.舾装件安装方式有哪几种？
3.什么叫分段预装？
4.预舾装有哪些优点？预舾装的基本原则是什么？
5.预舾装实施的基本要求是哪些？
6.单元组装按类型可分为哪几类？
7.管件预制的基本方法和要求是怎样的？
8.如何理解典型的管件制造级及其基本关系？

第四章　船舶设备工作原理

船舶机械设备是指保证船舶正常航行、作业、停泊、旅客正常生活所必须的机械设备综合体，包括动力机械、工作机械、传动设备、滤清和存储设备、热交换器以及管路系统等。通常一部完整的机器设备都是由原动机、传动装置和工作机构组成，传动装置是其重要的组成部分，除电气传动外，主要有机械传动和液压传动。

第一节　液压传动基本原理

液压传动是以液体作为工作介质，利用液体的压力能来实现能量传递的传动方式。它与机械传动相比具有许多优点，所以在船舶设备中，液压传动是被广泛采用的传动方式之一。

图 4-1 所示为液压千斤顶的工作原理图。图中大小两个缸体 9 和 2 内分别装有活塞 10 和 3，活塞和缸体之间配合良好，活塞能在缸体内滑动，并且配合面间密封可靠，液体不会产生泄漏，与单向阀 4，5 和截止阀 8 使其形成两个密封容腔。当上提杠杆 1 时，小活塞 3 被带动上移，小缸下腔 A 的密封容积增大，腔内压力降低，形成局部真空，由于压油单向阀 4 此时是关闭，吸油单向阀 5 打开，油箱 7 中的油液就在大气压力 P_0 的作用下吸入小缸的下腔 A 并填满空间，于是一次吸油动作完成。当压下杠杆 1 时，小活塞 3 下移，小缸下腔 A 的密封容积减小，腔内油液受到挤压作用压力升高，这时单向阀 5 关闭，油液不能向油箱倒流，而单向阀 4 则被打开，A 腔的油液经管道 6 被压入大缸下腔 B，由于截止阀 8 关闭，油液推动大活塞 10 向上移动，顶起重物 G（负载）。反复地提、压杠杆 1，便可使重物不断升高，达到起重的目的。适当地选择大小活塞面积和杠杆比，就可以很小的外力 F 升起很重的负载 G。

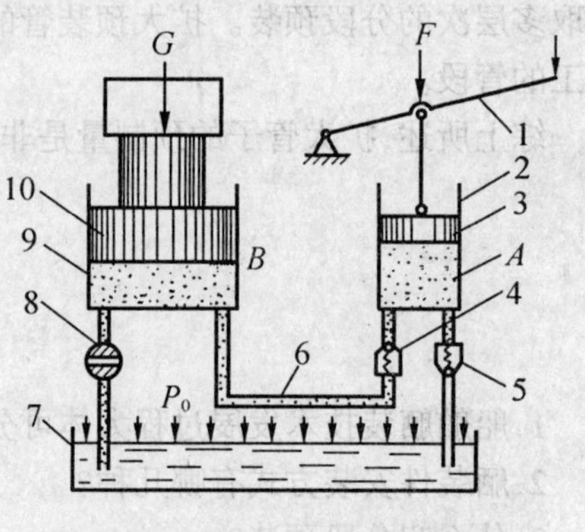

图 4-1　液压千斤顶的工作原理图

1—杠杆；2—小缸体；3—小活塞；4、5—单向阀；6—管道；7—油箱；8—截止阀；9—大缸体；10—大活塞；A、B—密封容积腔；G—负载

千斤顶顶重物时，截止阀 8 关闭。当需要将大活塞（重物）放下时，打开截止阀 8，大缸中的油液在重力作用下经此阀流回油箱，大活塞下降到原位。

液压千斤顶是一个简单的液压传动装置。小缸、小活塞、单向阀 4，5 和杠杆机构等组成手动液压泵，不断地从油箱吸油并将油液压入大缸，向大缸提供具有一定油量的压力油液。大活塞和大缸组成执行元件，带动负载，使其获得所需要的运动。这个执行元件实质上就是一个实现直线运动的液压缸，其活塞的运动速度由流入液压缸的油量决定。分析液压千斤顶的工作过程可知：液压传动是以密封容腔中的液体作为工作介质，利用密封容积变化过程中的液体压力能来实现动力和运动传递的一种能量转换装置。液压泵将输入的机械能转换为便于输送的液体压力能,然后液压缸又将液压能转换为机械能输出而做功。所以,在液压传动中,在传递能量的同时,还存在着能量形式的转换。

为能实现利用液体的压力能来进行能量传递和能量形式转换的目的,液压传动一般是指由下列五部分组成的液压传动系统:

1.动力元件——各种液压泵　它为液压系统提供一定流量的压力油液,是系统的能源装置,将原动机输入的机械能转换为液体压力能;

2.执行元件——各种液动机　它是将液体压力能转换为机械能的装置,以克服负载、驱动工作部件而做功;实现直线运动的液动机,称为液压缸,它输出力和速度,实现旋转运动的液动机,称为液压马达,它输出转矩和转速;

3.控制元件——各种液压阀　对液压系统中液流的压力、流量和流动方向进行控制的装置,以保证执行元件运动的各项要求,如溢流阀、节流阀、换向阀及开关阀等;

4.辅助元件——如各种管接头、油管、油箱、滤油器、蓄能器、压力表和密封装置等,在液压系统中起连接、储油、过滤、储存压力能、测量油压和防止油液泄漏等作用;

5.工作介质——传动液体　通常采用液压油,它用于实现动力和运动的传递。

液压传动相对于机械传动来说,是一门新的技术,它作为被广泛采用的传动方式之一,是因为液压传动与机械传动、电气传动、气压传动相比有以下主要优点:

1.在同等功率情况下,液压执行元件体积小、质量轻、结构紧凑,例如同功率液压马达的质量约只有电动机的1/6左右,而且液压元件可在很高的压力下工作(可达31.5MPa以上),因此液压传动能传递很大的力或转矩;

2.液压传动的各种元件,可根据需要方便、灵活地来布置;

3.液压装置工作比较平稳,由于质量轻、惯性小、反应快,液压装置易于实现快速启动、制动和频繁的换向;

4.操纵控制方便,可实现大范围的无级调速,而且可在运行的过程中进行调速;

5.一般采用矿物油为工作介质,相对运动面可自行润滑,使用寿命长;

6.容易实现直线运动;

7.既易实现机器的自动化,又易于实现过载保护,当采用电液联合控制甚至计算机控制后,可实现大负载、高精度、远程自动控制;

8.液压元件实现了标准化、系列化、通用化,便于设计、制造和使用。

但是液压传动系统也有如下主要缺点:

1.液压传动不能保证严格的传动比,这是由于液压油的可压缩性和泄漏造成的;

2.液压介质的工作性能易受温度变化的影响,因此不宜在很高或很低的温度条件下工作;

3.由于流体流动的阻力损失和泄漏较大,所以效率较低,如果处理不当,泄漏不仅污染场地,而且还可能引起火灾和爆炸事故;

4.为了减少泄漏,液压元件在制造精度上要求较高,因此它的造价高,且对油液的污染比较敏感。

第二节　液压器件构造特点与原理

液压传动相对于机械传动来说,虽然是一门新的技术,但已广泛地应用于工业、农业和国防等各个部门,工业铣床、拉床和磨床上早在上世纪30年代前后就开始使用液压元件,在第二次世界大战期间,战争迫切需要反应快、精度高、输出功率大的液压传动和控制装置,用于装备飞机、坦克、大炮、军舰和雷达等。电液伺服系统的出现,促使自动控制技术得到了发展,因此,液压传动与机械传动相比还是比较年轻的技术。反过来,随着原子能科学、空间技术、电子技术的发展,不断对液压技术提出新的要求,加速了液压技术的发展,当前液压技术正向高压、高速、大流量、大功率、提高效率、降低噪声,高度集成化和小型化、轻型化方向发展。提高元件可靠性和寿命,研制新型液压元件和工作介质、节省能耗、控制污染,电子技术和液压技术的紧密结合,开发控制性能优越、可靠性高的电液转换元件等,这些都是当前液压技术发展的重要方向。因此,学习和了解液压传动技术,应该首先学习和了解液压器件。

一、液压泵

液压泵是将电动机(或其他原动机)输出的机械能转换为液体压力能的能量转换装置,是液压系统的动力源。图4-2是一个简单的单柱塞泵的工作原理图。

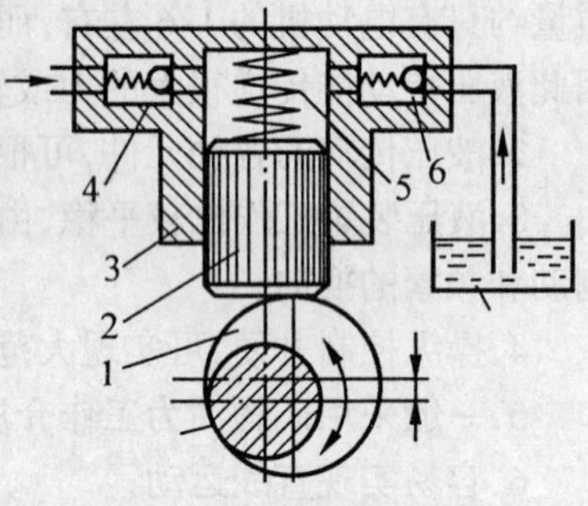

图4-2　液压泵原理图

1—外圆表面;2—柱塞;3—泵体;4—排油阀;5—弹簧;6—吸油阀

吸油阀6和排油阀4都是单向阀,通过管路分别与油箱和系统相连。柱塞2与泵体3靠间隙密封。柱塞、泵体与吸、排油阀一起形成密封容腔。柱塞在弹簧5的作用下紧靠在偏心轮1的外圆表面上,原动机带动偏心轮旋转时柱塞便在泵体内作往复运动。当柱塞向下运动时,密封容积逐渐增大,产生局部真空,油箱内的油液在大气压力Pa作用下,经吸油管顶开吸油阀进入密封容腔,实现吸油,此时排油阀在弹簧作用下关闭;当柱塞向上运动时,密封容腔的容积逐渐减小,容腔内的油液受压,压力升高,将吸油阀关闭,同时压力油顶开排油阀流入系统,实现压油。原动机带动偏心轮连续旋转时,泵的密封容积就形成周期性变化,从而不断地吸油和压油。我们称这种靠密封容积变化原理来进行工作的液压泵为容积式液压泵。泵的输油量(流量)。和密封容腔的数目、密封容积的变化量和变化的速率(如每分钟往复运动的次数)成正比。吸油阀6和排油阀4是保证泵密封容腔交替实现吸油和压油过程所必须的,称为配流装置,此例为阀式配油。为保证液压泵正常吸油,油箱必须与大气相通或采用密闭的充压油箱。

液压泵的主要性能参数一般是指液压泵的工作压力、吸入压力、流量、排量、转速、噪声、功率和效率。

液压泵的工作压力是指泵实际工作时输出油液的压力,即油液克服阻力而建立起来的压力,液压泵的工作压力用 P_p 表示,其大小决定于负载,并随负载变化而变化。液压泵的工作压力有两种规定,即额定压力 P_{pn} 和最大压力(最高压力)P_{pmax}。额定压力是指泵在正常工作条件下,按试验标准规定能连续运转的最高压力,其值受液压泵的容积效率和使用寿命的限制。液压泵在正常工作时，其工作压力应小于或等于泵的额定压力。最大压力是指按试验标准规定，允许短时间内超载运行的极限压力，其值受液压泵效率、零件强度和使用寿命等所限制。

液压泵进口处的压力称为吸入压力，为了保证泵能够充分吸取工作液体，不发生气穴，以提高容积效率，并且不产生振动和噪声，泵的最低吸入压力(极限吸油压力)必须大于相应温度下的空气分离压 P_p。空气分离压力随油液的种类、空气溶解量和油温而不同，其绝对压力大约为 0.2 ~ 0.3 kPa。因此，液压泵工作时，必须限制泵的吸油高度。

液压泵的排量是指泵每转一转，由其密封容腔几何尺寸变化计算而得的排出液体的体积，也称为液压泵的理论排量，简称排量，以 q_{rp} 表示，常用单位为 mL/r。排量可以调节的液压泵称为变量泵；排量为常量的液压泵则称为定量泵。

液压泵在单位时间内排出液体的体积，称为泵的流量，一般指平均流量。根据泵密封容腔几何尺寸计算而得的流量，称为理论流量，用 q_{pt} 表示，它等于排量 q_{rp} 与转速 n_p 的乘积，实际工作中常以零压运转时，泵输出的流量视为理论流量。液压泵工作时出口处实际输出的流量，称为实际流量，实际流量的大小与泄漏有关，实际流量用 q_p 表示。液压泵在正常工作条件下(额定压力和额定转速)，按试验标准规定所必须保证的实际平均流量，称为额定流量，额定流量用 q_{pn} 表示。排量和额定流量用于评价液压泵的供油能力，是液压泵技术规格指标之一。实际流量和额定流量都小于理论流量。液压泵在每一瞬时的流量，称为瞬时流量。一般来说，因柱塞、叶片等不是等速运动，所以液压泵密封容腔容积的变化并不是均匀的，故各瞬时的流量是不相同的，而是按同一规律重复变化的，这种现象称为泵的流量脉动。流量脉动将影响执行元件运动的平稳性，产生压力脉动和噪声等，因此瞬时流量越均匀越好。各类泵中，叶片泵的流量脉动最小，齿轮泵次之，柱塞泵最大。

液压泵的转速有额定转速、最高转速和最低转速之称。液压泵的额定转速是指在额定压力下，能连续长时间正常运转的转速；最高转速是指在额定压力下，超过额定转速而允许短时间运行的最大转速；最低转速是指保证泵使用性能而正常运转所允许的最小转速。

噪声是液压泵的一项重要性能指标。液压泵的噪声是由其轴承、齿轮啮合、叶片或柱塞与定子接触、机械振动引起的机械噪声和由压力脉动、液压冲击、气穴等原因引起的液压噪声造成的。一般希望泵的噪声声压级小于 80dB(分贝)。

液压泵由电动机或其他原动机驱动，它的输入量是转矩和转速 n_p，输出量是液体的压力 pp 和流量 q_p。液压泵的输出功率 P_p 即液压泵的实际流量 q_p 和工作压力 p_p 的乘积，由于泵有泄漏和机械摩擦造成功率损失，则液压泵的输出功率 P_p 为泵的输入功率 P_{pi}(即电动机的驱动功率)与总效率 η_p 之积

$$P_p = P_{pi} \times \eta_p$$

式中，总效率 η_p 为机械效率 μ_{pm} 和容积效率 μ_{pv} 之积，即

$$\eta_p = \eta_p \mu_{pv}$$

液压泵的容积效率为实际流量与理论流量的比值，用以表示因液体泄漏造成容积损失和功率损失。液压泵的机械效率为理论转矩与实际输入转矩的比值，用以表示因摩擦而造成的机械损失和功率损失。

液压传动所用的泵一般为容积式液压泵，按照其结构型式的不同，可分为齿轮式、叶片式、柱塞式等类型；按照泵每转一转所排出的液体体积是否可调，液压泵又分为定量式(图

4－2中 a)和变量式(图 4－2 中 b、c)两大类。

齿轮泵是液压泵中结构简单、应用较广的一种泵，并且应用较多的是中低压和中高压齿轮泵，根据齿轮啮合形式的不同，齿轮泵有外啮合齿轮泵和内啮合齿轮泵之分。外啮合齿轮泵一般由前端盖、后端盖和泵体组成，其齿轮泵的工作原理如图 4－3 所示。在泵体内装有一对齿数相同、宽度和泵体相等而又相互啮合的齿轮，齿轮两侧由端盖密封，泵体、端盖和齿轮的各个齿槽组成的多个密封容腔，被齿轮的啮合线和齿顶分隔成左右两个密封油腔——吸油腔和压油腔，起配油作用。当主动齿轮由电动机带动，按图示箭头方向旋转时，右侧内的轮齿逐渐退出啮合，使吸油腔的密封容积逐渐增大，形成局部真空，油箱中的油液在大气压力的作用下，经吸油管路、吸油腔吸入齿槽，并被旋转的轮齿带到左侧压油腔。左侧压油腔内的轮齿逐渐进入啮合，压油腔的密封容积逐渐减小，齿槽中的油液被挤出，并从压油腔回输入系统。齿轮不断旋转，吸油、压油过程便连续进行。

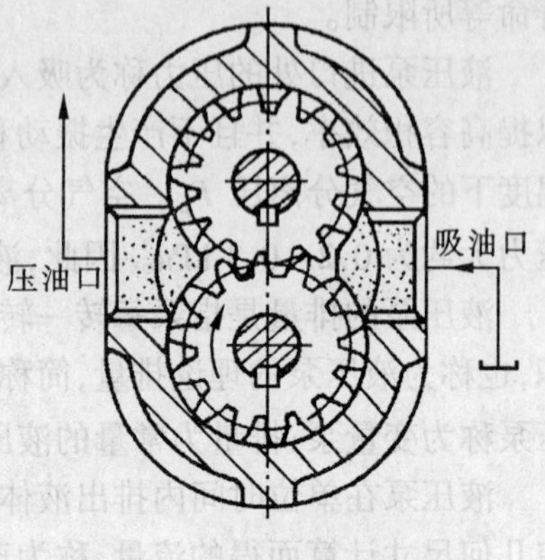

图 4－3　齿轮泵工作原理图

齿轮泵的排量精确计算比较麻烦，为了简化计算，可以认为齿槽的容积(除去齿根间隙后)等于轮齿的体积，则当齿轮齿数为 Z、模数为 m、分度圆直径为 $d(d = mZ)$、工作齿高 h $(h = Zm)$、齿宽为 B 时，齿轮泵的排量 q_{rp} 可近似等于外径为 $mZ + 2m$，内径为 $mZ - 2m$，宽度为 B 的圆环体积，即

$$q_{rp} = \pi dhB = 2\pi Zm^2 B$$

实际上齿槽容积比轮齿体积稍大，而且齿数越少时差值越大。另外，齿轮需要修正时，轮齿将变薄，齿槽容积也要增大。为此，在式中用系数 3.33～3.5 代替。以补偿其误差，齿数为 8～14(中高压泵)时取大值；齿数为 13～20(低压泵)时取小值。

齿轮泵的实际流量 q_p 为

$$q_p = q_{rp} n_p \eta_{pv} = (6.66 \sim 7)\, Zm^2 Bn_p \eta_{pv}$$

上式表示的流量是齿轮泵的平均流量。实际上，因为在轮齿的不同啮合点处密封容腔容积的变化速度是不均匀的，因此齿轮泵的瞬时流量是脉动的。齿数愈少，脉动率愈大，其值为 11%～27%。

外啮合齿轮泵应用最为广泛，也需要解决几个问题：为了使齿轮能灵活地转动，同时又要使泄漏量最小，在齿轮端面和端盖之间保持有适当间隙(轴向间隙)，对小流量泵轴向间隙为 0.025～0.04mm，大流量泵为 0.04～0.06mm。齿顶和泵体内表面的间隙(径向间隙)，由于密封带长，同时齿顶线速度的方向和油液泄漏方向相反，故对泄漏的影响较小。但齿轮受到不平衡的径向力后，传动轴会有变形，应注意避免齿顶和泵体内壁相碰，所以径向间隙应稍大，一般取 0.13～0.16mm。

通常在泵体的两端面上铣有卸荷槽，其目的是防止油液泄漏到泵外，减小泵体与端盖接触面间的油压作用力，以减小联接螺钉的紧固力。另外还在前后端盖上各开有两个困油卸荷槽，以消除困油现象。

齿轮泵工作时，存在油液压力沿齿顶圆周作用而产生的径向力和齿轮传递转矩时产生的径向力，其中液压力产生的径向力比传递转矩时的啮合力要大得多，从动齿轮所受的径向力要比主动齿轮大15% ~ 20% 。并且这种径向力是不平衡的,而且工作压力越高,径向不平衡力就越大。由于不平衡径向力的存在将不仅加速了轴承的磨损,降低轴承的寿命,甚至使齿轮轴变形,造成齿顶与泵体内孔的摩擦。因此,通常采用在端盖上开两个压力平衡槽分别与吸、压油腔相通的办法,使作用在齿轮上的径向力趋于平衡,减小径向不平衡力的影响。但采用这种办法将引起泄漏量增大,降低容积效率,因此高压齿轮泵很少采用这种结构,而采用缩小压油口的方法,使压油腔的压力油仅作用在一个齿到两个齿的范围内,以减小作用面积,从而减小径向不平衡力。

齿轮泵的内泄漏有三条途径:一是轴向间隙的泄漏,其泄漏量约占总泄漏量的75% ~ 80% ;二是径向间隙的泄漏,其泄漏量约占总泄漏量的15% ~ 20% ;三是齿轮啮合线处的泄漏,其泄漏量约占总泄漏量的4% ~ 5% 。可见轴向间隙的泄漏量是主要的,要提高齿轮泵的工作压力,必须尽可能地减小轴向间隙的泄漏。在中高压齿轮泵中,常用轴向间隙自动补偿装置,减小泵内通过轴向间隙的泄漏,以达到提高容积效率和工作压力的目的。

叶片泵是另一类型的液压泵,它有双作用式和单作用式两种。双作用泵是定量泵,单作用泵常做成变量泵使用。双作用叶片泵具有结构紧凑、体积小、重量轻、流量均匀、运转平稳、噪声小、寿命大等优点。但结构较复杂、对油液污染较敏感、自吸性能较差、转速范围受到一定限制,一般在600 ~ 2000r/min 范围内使用。常用于对流量均匀性要求较高的中压和中高压液压系统上。图4 - 4所示为双作用叶片泵的工作原理图。它主要由定子2、转子3、叶片4、泵体1、左右配流盘和传动轴等组成。定子和转子的中心重合,转子上开有均布槽,矩形叶片安装在转子槽内,并可在槽内滑动。定子的内表面由两段大半径为 R 的圆弧、两段小半径为 r 的圆弧和四段过渡曲线所组成。安装在定子两侧的配流盘上,开有对称布置的四个腰形窗口Ⅰ、Ⅱ、Ⅲ、Ⅳ,配置在相应的定子过渡曲线上,其中Ⅰ、Ⅲ为吸油窗口,与油箱相通,Ⅱ、Ⅳ为压油窗口,与压油口相通。定子上的四段圆弧将吸油腔和压油腔隔开,称为封油区,转子外圆面、定子内表面、叶片和配流盘一起组成若干个密封容腔。转子旋转时,叶片在离心力和压油腔引到叶片底部压力油(当泵建立压力后)的作用下,紧贴于定子内表面,并在转子槽内作往复运动。当叶片由小半径 r 处向大半径 R 处移动时,两叶片间的密封容积逐渐增大,形成局部真空,油箱中的油液在大气压力作用下,通过配流盘吸油窗口吸油;而当叶片由大半径 R 处向小半径 r 处移动时,两叶片间的密封容积逐渐减小,将油液通过压油窗口,从压油口排出油液。当转子连续转动时,泵便连续地进行吸油和压油。由于泵有两个吸油腔和两个压油腔,因此转子每转一转,每两叶片间的密封容积便完成两次吸油、压油过程,故称双作用式叶片泵。双作用式叶片泵的两个吸油腔和两个压油腔是对称于转子轴的,因此作用在转子上的径向液压力是平衡的,故这种泵又称为平衡(卸荷)式叶片泵。双作用叶片泵的排量不可调节,所以它是定量泵。

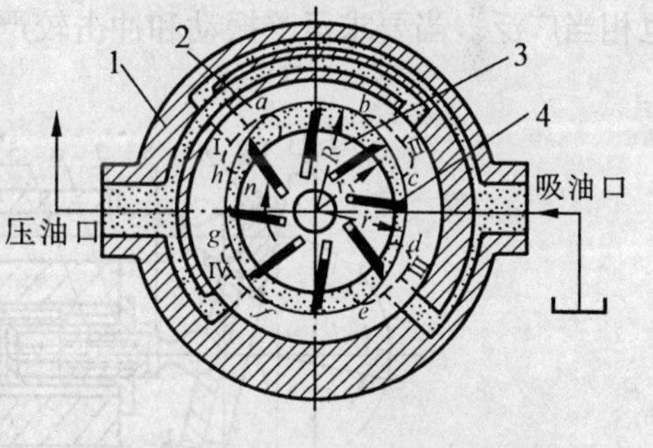

图4 - 4　双作用叶片泵的工作原理图

1—泵体;2—定子;3—转子;4—叶片

柱塞泵是利用柱塞在缸体柱塞孔中作往复运动,使密封容积发生变化来实现吸油和压油的一种液压泵。柱塞泵的型式很多,按柱塞排列方向的不同,分为径向柱塞泵和轴向柱塞泵两类。径向柱塞泵由于其径向尺寸大、结构较复杂、自吸性能差、配流轴上受到的径向不平衡液压力很大、易于磨损，因而其转速和压力的提高被限制，目前生产中应用不多。轴向柱塞泵根据传动结构的不同分为斜盘式(直轴式)和斜轴式两类。斜盘式又分为不通轴式和通轴式两种。斜轴式又分为双铰式和无铰式两种。目前使用最多的为斜盘式柱塞泵。

图4-5为斜盘式轴向柱塞泵的工作原理图，它主要由缸体4、柱塞7、传动轴2、固定的和斜盘11等组成。斜盘法线和缸体轴线的交角(即斜盘倾角)为δ_P，缸体由传动轴2带动旋转。在缸体上开有若干个圆周均布的轴向柱塞孔，孔内装有柱塞7，内套筒8在定心弹簧6的作用下，通过回程盘(压盘)9而使柱塞头部的滑靴10与斜盘紧密接触；同时外套筒5在弹簧6的作用下，使缸体端面与配流盘紧贴而起密封作用，形成密封容腔。在配流盘1上开有两个腰形通孔，为吸、压油窗口，分别与泵的吸、压油口相通。当传动轴带动缸体从图示的自下而上旋转的半周内，柱塞逐渐向外伸出，柱塞与缸体孔间的密封容积逐渐增大，形成局部真空，通过配流盘的吸油窗口吸油；缸体在自上而下旋转的半周内，柱塞斜轴式泵与斜盘式泵相比，缸体所受的不平衡经向力较小，故结构强度较高，变量范围较大(倾角δ_P最大可达25°)。其缺点是：外形尺寸较大、结构较复杂、成本较高。目前，斜轴式轴向柱塞泵的使用也相当广泛。当要求承受振动和冲击较严重的负载时，宜采用斜轴式轴向柱塞泵。

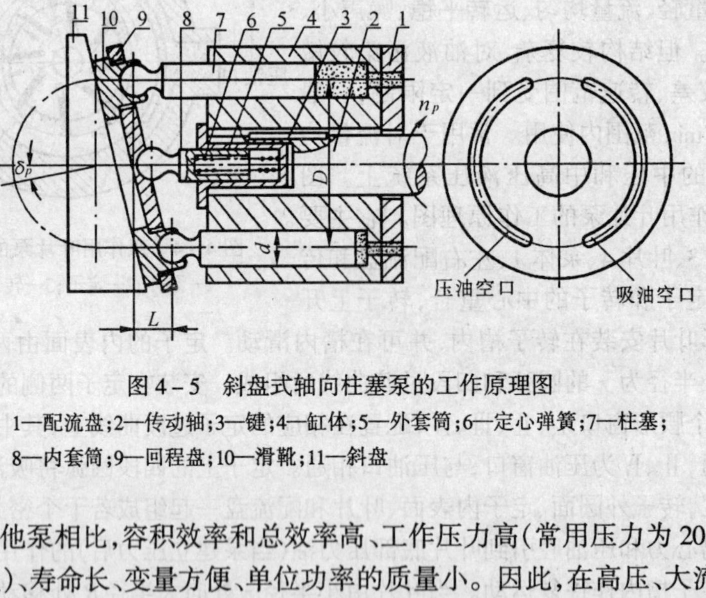

图4-5 斜盘式轴向柱塞泵的工作原理图

1—配流盘；2—传动轴；3—键；4—缸体；5—外套筒；6—定心弹簧；7—柱塞；8—内套筒；9—回程盘；10—滑靴；11—斜盘

柱塞泵与其他泵相比，容积效率和总效率高、工作压力高(常用压力为20~40MPa，最高可达80MPa以上)、寿命长、变量方便、单位功率的质量小。因此，在高压、大流量、大功率的液压系统中和流量需要调节的场合得到广泛应用。其缺点是：结构复杂、制造工艺要求较高，价格贵、对油液污染敏感，自吸能力差、对使用和维护的要求也较高。

二、液压控制阀

一个完整的液压系统，需要有对液流压力高低、流量大小和流动方向进行控制和调节的液压阀。为使执行元件按负载要求工作，液压阀是液压系统正常工作不可缺少的元件。液压阀的种类很多，按其在液压系统中所起的作用可分为三大类，即压力控制阀、流量控制阀和方向控制阀。但是所有液压阀都是由阀体、阀芯和操纵部分(手动、机械、电动)所组成，并且都是通过改变流通面积或通路来实现操纵控制的。

压力控制阀简称压力阀，如溢流阀、减压阀、顺序阀等，是用来控制液体压力。其基本工作原理是利用受控流体的压力对阀芯的作用力与给定的参考力(弹簧力、电磁力)相平衡的条件,来调节阀的开口量大小,从而达到控制液体压力的目的。溢流阀借助于溢去一定量油液来保证液压系统中压力为一定值,并防止过载。图 4-6 为两种溢流阀的结构示意图,如图(a)所示的直动式柱芯溢流阀,它在未工作前,阀口有一定的搭接量(一般 2cm 左右)。阀打开前,阀芯 3 必须先移动此搭接量;阀开时,阀芯 3 虽有振动,但阀芯 3 底部不易与阀体发生撞击,故噪声较小。压力油从 P 口进入阀内,少量油液从阀芯下部有阻尼作用的中心小孔 a 进入阀芯底部,推动阀芯克服弹簧 2 的力而上升,从而打开阀口使油液节流降压通过,再从回油口 O 流回油箱。借助阀芯阻尼孔的作用,可减小阀芯的振动,提高阀的工作平稳性。但由于动作反应慢,压力超调量较大。另外,通过阀芯上部封油部泄漏的油液,集积在弹簧腔内,这部分泄漏油可借直角形油路与回油口 O 相通,随溢流油液一起回油箱,这种泄漏方式称为内泄。内泄通路是必需的,否则弹簧腔内油液闭死,阀芯 3 不能自由运动,溢流阀也不能正常工作。图(b)为先导型溢流阀,下部主阀是柱芯式溢流阀,上部先导阀是锥芯式溢流阀。油腔 f 和进油口相通,油腔 d 和回油口相通。压力油从进油腔 f 进入,通过孔 g 作用于阀芯 7 的下端,同时又经阻尼孔 e 进入阀芯的上部,并经孔 b、孔 a 作用于先导调压锥阀 3 上。当系统压力 P 较低,还不能打开先导调压阀时,锥阀 3 关闭,没有油液经过阻尼孔 e,所以阀芯 7 两端的油压相等,在阀芯上部弹簧 6 的作用下,使阀芯处在最下端的位置,将阀口封闭。因为弹簧 6 的力量只需克服阀芯的摩擦力,所以可以做得较软。当系统压力升高到能够打开先导调压阀时,锥阀 3 就压缩调压弹簧 2 将阀口打开,压力油通过阻尼孔 e、孔 b 和孔 a,经锥阀 3,流回主阀油腔 d,再流回油箱。由于阻尼孔的作用,产生压力降,所以阀芯 7 下部的油压 P 大于上部的油压 P_1。当阀芯两端压力差所产生的作用超过弹簧 6 的作用时,主阀芯被顶起,打开主阀,油腔 f 和油腔 d 连通,大量油液通过主阀口节流降压,再经回油口 O 回到油箱。调节螺帽 1 调节弹簧 2 的压紧力,可以调整节流间进油口处的压力。

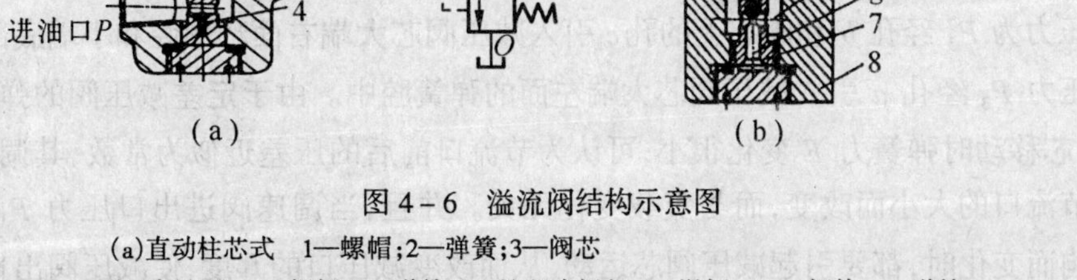

图 4-6　溢流阀结构示意图

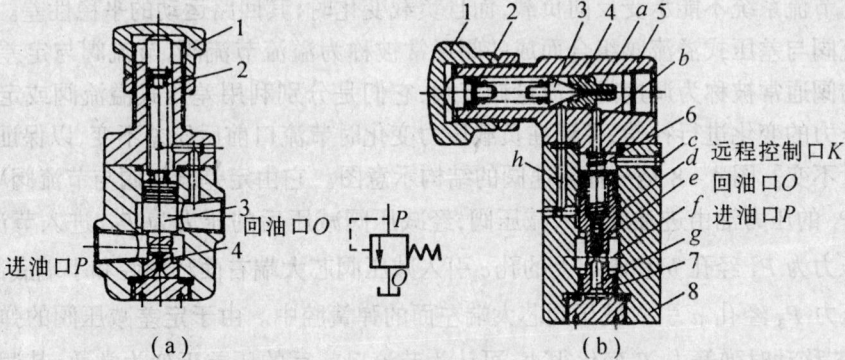

(a)直动柱芯式　1—螺帽;2—弹簧;3—阀芯

(b)先导型　1—螺帽;2—弹簧;3—锥芯式阀芯;4—滑阀;5—上阀体;6—弹簧;7—柱芯式阀芯;8—下阀体

流量控制阀,简称流量阀,是控制液压系统中的控制液体流量的元件,是靠改变阀口过流断面面积的大小来控制通过阀的流量,以实现液压执行机构运动速度的调节。常用的流量阀有节流阀、调速阀和分流阀等。图 4-7 为一种可调节流阀的结构示意图,它主要由阀体、阀芯、推杆、复位弹簧和调节手轮组成。进油腔压力油通过阀芯中间的通油孔同时作用在阀芯上下端承压面积上。因上下端承压面积相等，所以阀芯所受液压力也相等，阀芯只受复位弹簧作用紧贴推杆，以保证调节好的节流口开度。调节时只需克服推杆所受液压力和复位弹簧力，调节手轮所需的力要小得多，可在高压下调节。节流阀在定量泵液压系统中的主要作用，是与溢流阀配合组成节流调速系统。根据节流阀在油路中的位置，一般分为进油节流、回油节流和旁路节流三种形式。进油节流——节流阀装在进油路上，节流阀进油口压力为溢流阀的调定压力，出油口压力取决于执行机构(如液压缸)负载压力。改变节流阀的开度，即可改变执行机构的运动。

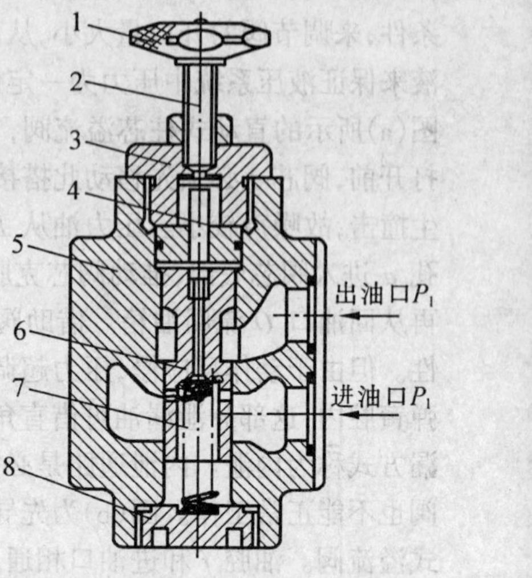

图 4-7　可调节流阀的结构示意图

1—调节手轮；2—调节螺钉；3—螺盖；4—推杆；5—阀体；6—阀芯；7—复位弹簧；8—端盖

速度进油节流调速系统只适用于正向负载(负载力方向与液压缸运动方向相反)，不适用于有反方向负载的场合(负载力方向与液缸运动方向相同)。回油节流——节流阀装在回油路上，供油压力由溢流阀调定，若不考虑油路上的压力损失，可以认为进入执行结构的油压即为供油压力，执行结构回油腔压力就是节流阀进油口压力，其值由负载决定，节流阀出油口接回油箱，改变节流阀的开度，即可改变执行机构的运动速度。回油节流调速系统能承受反向负载，节流阀给执行机构回油腔造成一定的背压，使其运动平稳，且可防止突进。旁路节流——节流阀装在执行机构进油油路的一个分支上，节流阀的进油口压力决定于负载，出油口直接接回油箱，溢流阀仅起安全阀作用。改变节流阀的开度，就可以改变经节流阀旁路的流量，从而改变执行机构的运动速度。节流系统不能承受反向负载，而且负载变化时，其回路运动的平稳性差。

节流阀与差压式溢流阀组合而成的阀通常被称为溢流节流阀，节流阀与定差减压阀组合而成的阀通常被称为调速阀或流量调节阀，它们是分别利用差压式溢流阀或定差减压阀对负载压力的变化进行补偿，保证在负载压力变化时节流口前后压差不变，以保证流经节流口的流量不变。图 4-8 是一种调速阀的结构示意图。它由定差减压阀与节流阀串联组成，压力为 P_1 的压力油由进油腔进入减压阀，经减压阀减压后的压力为 P_2，进入节流阀节流，节流后压力为 P_3 经孔 b 和阀芯上的孔 c 引入减压阀芯大端右面环形腔和小端底部油腔，节流后的压力 P_3 经孔 a 引入减压阀芯大端左面的弹簧腔中。由于定差减压阀的弹簧刚度很小，故阀芯移动时弹簧力 F 变化很小，可认为节流口前后的压差近似为常数，其调速阀的流量只随节流口的大小而改变，而与负载变化无关。并且，当调速阀进出口压力 P_1 与 P_2 受负载影响而变化时，都要引起减压阀芯运动，从而改变减压口的开度，使减压阀出口压力 P_2 相应地变化，并保持节流阀前后压差基本不变。在这里定差减压时起压力补偿作用。

方向控制阀，简称方向阀，是控制液压系统中液体流动方向的阀，方向阀主要有单向阀和换向阀两类。单向阀包括普通单向阀和液控单向阀，在液压系统中，单向阀只允许液流沿一个方向通过，反方向流动则被截止，液控单向阀在不加控制时其作用与普通单向间相同，加控制后液流反方向也能通过。换向阀工作原理简单，它是利用阀芯和阀体相对位置的改

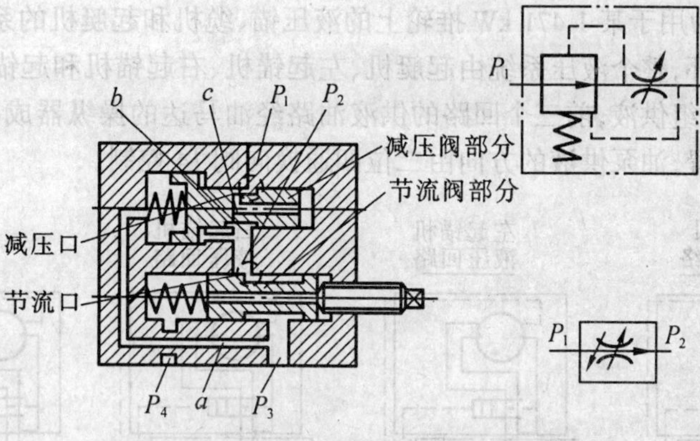

图 4－8　调速阀的结构示意图

P_1—进口压力；P_2—出口压力；P_3—节流后压力；P_4—溢流压力；a、b、c—通路

变来控制液流的方向或液流的通断；换向阀阀芯的结构型式有滑阀式、转阀式、锥阀式等，其中以滑阀式应用最多；根据阀芯可能实现的工作位置数目，换向阀可分为二位、三位和多位等型式；根据阀的油路通道数目，换向阀可分为二通、三通、四通、五通等型式；根据阀的操纵和控制方式，换向阀可分为手动、机动、液动、电磁控制和电液控制等。换向阀的每一位代表阀的一个工作状态，它决定了执行机构的一个运动状态，因此换向阀的位数就代表执行机构可能得到的运动状态的数目。而阀的通路数，是指阀与液压系统中油路相连通的油口数，滑阀机能是指芯在不同的工作位置时各油口的连接关系。通常是指阀芯处在原始位置时。对换向阀性能的主要要求是：液流流经换向阀时的压力损失要小；各封闭油口的泄漏量要小；换向可靠，换向时平稳迅速。

第三节　液压锚机工作原理

锚装置的主要作用在于当船或艇达到锚位时，抛出锚和锚链使其作有效的停泊，并且在其停泊期间不因风和水流作用力的影响而发生不良的运动。锚装置主要包括锚、锚链、掣链器和锚机四部分。

锚机是收放锚和锚链的机械，按驱动方式有手动锚机、蒸汽锚机、电动锚机和液压锚机。如图 4－9 所示，液压锚机由于其驱动力为液压力，使液压锚机的基本组成、具体结构和操纵方式以及工作性能，都不同于电动锚机，其主要特点是：驱动锚轮负荷轴的动力是油马达，负荷轴可以直接与油马达相连，锚机可以在较大范围内无级调速，启动与制动迅速，运转平稳，结构紧凑。

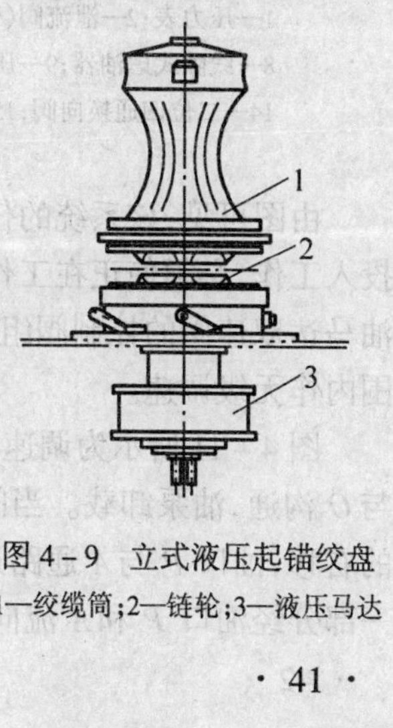

图 4－9　立式液压起锚绞盘

1—绞缆筒；2—链轮；3—液压马达

液压锚机采用液压传动，因此在其液压系统中，除了把液压能转化为机械能的油马达外，还应具备油泵－电动机机组和管路及各种阀件等，以供给油马达压力油，并实现压力、流量和流向等控制，达到锚机的调速、限速、换向、制动以及失压和过

压保护等目的。

图 4－10 所示为用于某 1 471 kW 推轮上的液压锚、缆机和起艇机的系统原理图。该液压系统采用开式循环，整个液压系统由起艇机、左起锚机、右起锚机和起锚绞盘四个回路组成，并由一台油泵机组供液，前三个回路的供液油路经油马达的操纵器成串联布置，并与第四个回路成并联布置，油泵供液的方向由二位四通换向阀 14 控制。

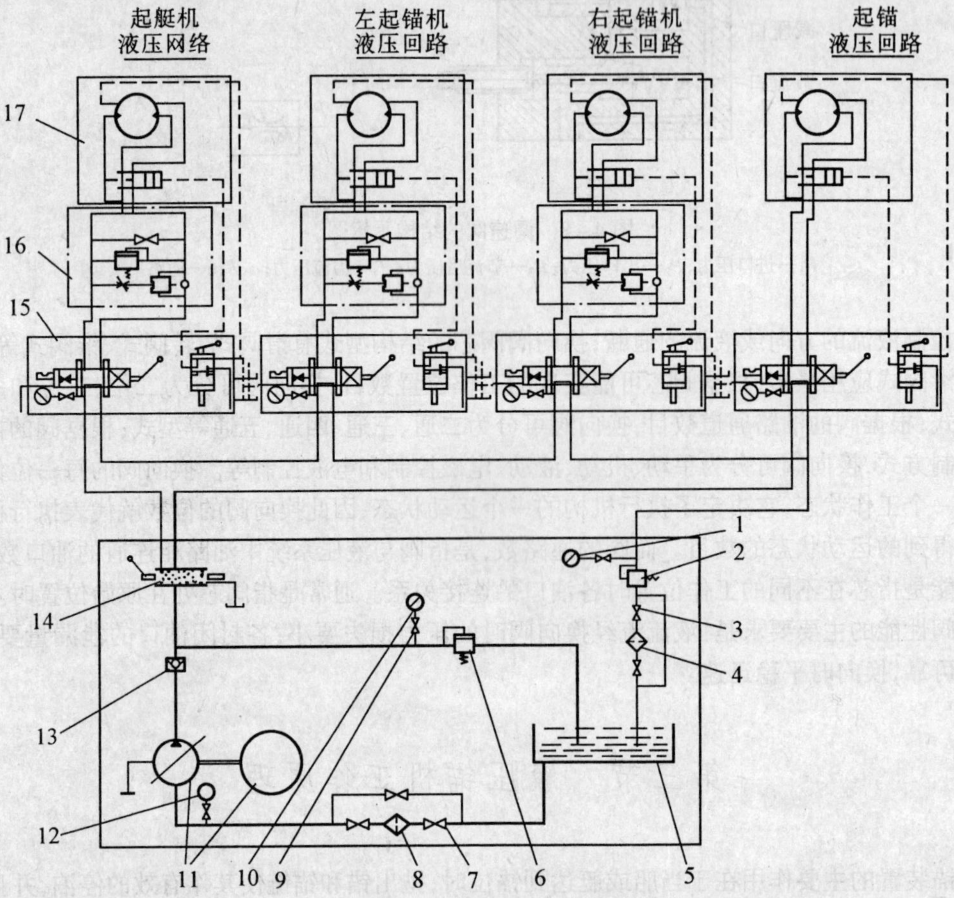

图 4－10 液压锚、缆机和起艇机的系统原理图

1—压力表；2—泄流阀（作背压阀）；3—截止阀；4—线隙式虑油器；5—油箱；6—溢流阀；7—截止阀；8—线隙式虑油器；9—压力表开关；10—压力表；11—电动机油泵机组；12—压力真空表；13—单向阀；14—二位四通换向阀；15—马达操纵器；16—平衡阀组；17—油马达

由图可见，该系统的任一回路处于工作状态时，另一回路不能投入工作；要使某一回路投入工作，必须使正在工作的回路停止工作。油马达的操纵器 15 由三位四通调速换向阀和油马达双速阀的控制阀组成。调速换向阀除用作每个回路的油路换向外，还可在一定的范围内作无级调速。

图 4－11 所示为调速器换向阀的原理图，图中点划线表示阀芯中间位置，此时油口 P 与 O 沟通，油泵卸载。当阀芯开始右移（如实线所示）时，油口 P 与 A 开始接通，并且随阀芯的右移，油口 P 与 A 通路逐渐开大，油口 P 与 O 的通路逐渐关小。于是，油泵输送的压力油一部分经油口 P 和 A 流向油马达，另一部分则经油口 P 和 O 旁通至油箱。显然，只要改变

阀芯的移动量,就可调节供入油马达的油量,即调节油马达的转速。阀芯移动量增大,油马达供油量增加,旁通量减小,油马达转速升高;反之,转速降低。同理,当阀芯左移开始时,油口 P 与 B 开始接通,并且随阀芯的左移油口 P 与 B 通路逐渐开大,油口 P 与 O 的通路逐渐关小。这种换向阀在油口 P 与 A(或 B)沟通时,P 与 O 不立即隔断,这种滑阀称为开式过渡滑阀。采用这种滑阀调速,称为并联节流调速。平衡阀组 16(图 4 – 10)由节流阀、顺序阀,单向阀、安全阀和旁通阀组成。其中单向阀和顺序阀构成单向顺序阀,称为平衡阀。它的作用是限制抛锚和放艇的速度。回流管路上设有建立背压的泄流阀 2(图 4 – 10),使油马达具有 0.294 ~ 0.490MPa 的背压,以保证油马达运转平衡。在油泵出口的分支管路上设有用作安全阀的溢流阀 6(图 4 – 10),起跳压力为 14.7MPa。

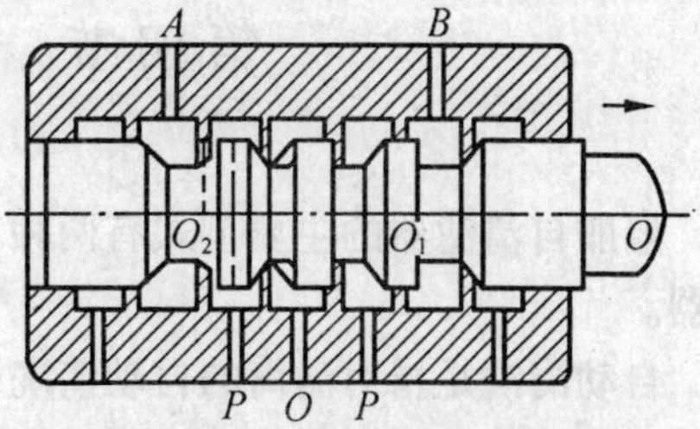

图 4 – 11 调速器换向阀的原理图

当图 4 – 10 二位四通换向阀 14(图 4 – 10)处于图示位置时,油泵输液供入起艇,在左锚和右锚液压回路,只要扳动其中一个回路的操纵器的三位四通调速换向阀,就可使相应的回路投入工作。若扳动操纵器的调速换向阀的手柄,使阀芯左移,则油口 P 与 B、O 与 A 分别连通,油泵供入的压力油经调速阀(换向)的油口 P 和 B,平衡阀组 16(图 4 – 10)的单向阀、双速阀,进入油马达 17(图 4 – 10)的全部柱塞的油缸,油马达以全排量慢速挡驱动链轮绞锚或起艇(适用于满负荷工况)。此后,从油马达出来的压力油经换向阀油口 A 和 O,背压阀 2(图 4 – 10)回到油箱。若在扳动调速换向阀以前,扳动双速阀的控制阀手柄,则压力油节流后经控制阀进入双速阀油缸,把阀芯推向左侧。使半数柱塞油缸通过压力油工作,另一半与回油管路沟通,油马达以半排量快速挡驱动链轮铰锚或起艇(适用于轻负荷工况)。

当扳动油马达操纵器的调速换向阀的手柄,使阀芯右移时,油泵输送的压力油经油口 P、A 反向进入油马达 17(图 4 – 10),而油马达则经双速阀、平衡阀组中相应的控制顺序阀(控制油由压力油路经节流阀引入)和调速换向阀的油口 B 与 O 回油,油马达反向运转,即可抛锚或放艇。若锚或艇的下落速度超过油泵供油速度时,压力油路就失压,它控顺序阀立即关闭,油马达的回油通路被隔断,锚或艇被暂时制动,直至压力油路油压恢复正常,锚或艇才重新下落,从而限制了抛锚和放艇的速度。

操作操纵器中调速换向阀的手柄,能改变压力油的旁通量,在一定范围内可以无级调节起锚、起艇和抛锚、放艇的速度。但应当指出,抛锚或放艇(即油马达反转)时,尽量不要采用快速挡,以免由于半数不工作的柱塞缸始终处于高压状态而给油马达带来不良的影响。

平衡阀组中的安全阀起跳压力为 13.72MPa,用以防止绞锚或起艇时压力油路的油压过高。为了便于盘车,可开启旁通阀,使油马达的进、回油路沟通,但盘车后旁通阀必须关闭,否则油马达将无法工作。

若扳动二位四通换向阀 14(图 4 – 10)的手柄使阀芯移位,则油泵供油至起锚绞盘液压回路,操纵调速换向阀,液压起锚绞盘即可投入工作。

只要把油马达操纵器的调速换向阀手柄扳回中间位置,液压回路就停止工作,油泵的供液直接经调速换向阀的油口 P 和 O 回油箱。

第四节　自清滤器工作原理

船舶自清滤器的主要型式有两种：一种为空气反冲式自清洗滤器；一种为油反冲式自清滤器。

自动清洗是指对滤筒的自动清洗，方法有以下几种：

1.借助定时器，每隔一定的使用时间进行清洗；

2.利用滤器前后的压力差来控制压力继电器，通过定时器和压力继电器启动电动机，使滤筒回转，然后借助喷射出来的滑油或压缩空气冲掉灰尘或附着的油垢杂质；

3.借助过滤后的一部分油反方向流动，用油的压力冲掉灰尘及附着的油垢杂质；

4.用过滤后的油进行连续地反方向冲洗。

图 4－12 为空气反冲洗自动清洗滤器的结构及其工作原理图。被过滤后的油从下部入口进入滤筒内部，经滤筒过滤后由上部出口排出。在冲洗滤筒的时候，通过部分在本体上设置的压缩空气喷射口，用压缩空气冲掉附着在滤筒上的杂质和油垢。

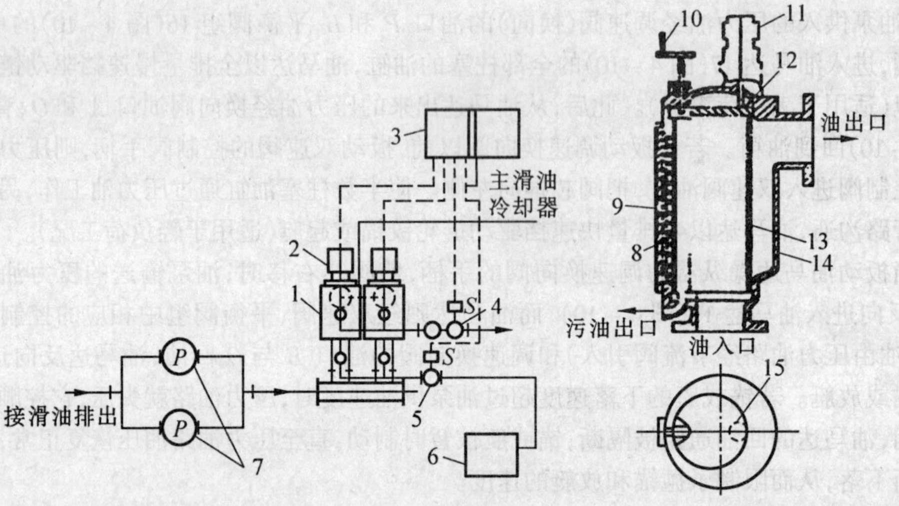

图 4－12　空气反冲洗自动清洗滤器

1—滤器；2—电机；3—控制盘；4—气源入口电磁阀；5—污油排出电磁阀；6—污油柜；7—主滑油泵；8—压缩空气喷射口；9—压缩空气入口；10—手操手柄；11—电机；12—齿轮；13—滤筒；14—滤器本体；15—齿轮(内齿轮)

可利用滤器前后压力差，或者利用定时器设定的时间，启动电动机 2，使滤筒 13 回转。与此同时打开清洗压缩空气入口的电磁阀 4 和污油排出电磁阀 5，利用高速喷出的压缩空气由喷射口 8 冲洗滤筒，滤筒上附着的杂质、污物由下部污油出口排出。

第五节　自动控制分油机工作原理

在以柴油机为主机的船舶中，为保证机器的正常运转和使用寿命，需要设置分油机用以除去燃油中的水分和杂质；为延长滑油的使用寿命，确保主辅机及发电机、电动机等长期可靠地工作和经常运行，也必须经常而连续地将滑油系统中的一部分滑油送进分油机中进行净化处理，以除去水分和杂质。

图 4－13 为自动排渣分油机的自动控制系统原理图，它能实行程序（如启动－分离－排渣－停车）的时序控制和全部排渣的定时控制。所谓分油机的时序控制就是模拟手动操作过程，即按预先规定好的时间顺序，自动控制内外管进水，控制进油阀及冲洗水和水封进水阀的开闭，自动地完成分油机分油、排渣，再分油等一系列程序动作。

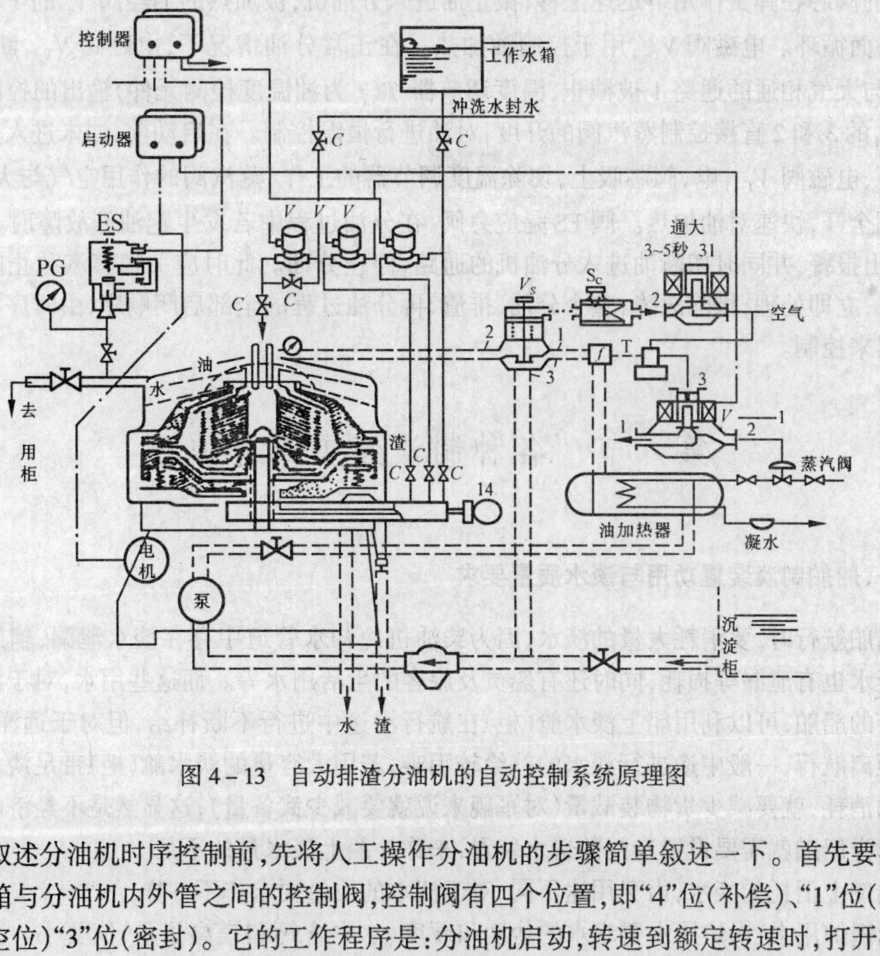

图 4－13　自动排渣分油机的自动控制系统原理图

在叙述分油机时序控制前，先将人工操作分油机的步骤简单叙述一下。首先要控制好高置水箱与分油机内外管之间的控制阀，控制阀有四个位置，即“4”位（补偿）、“1”位（开启）、“2”位（空位）“3”位（密封）。它的工作程序是：分油机启动，转速到额定转速时，打开控制阀“3”位，进行密封（内外管同时进水或外管进水），把活动底盘托起，封住排渣口，此过程叫密封过程。将控制阀转至“4”位，这时内管进水，外管断水，可以补偿泄漏损失。这时是正常分油过程，可先打开水封水，形成水封后，再慢慢打开进油阀，开始正常分油。需要排渣时，先关闭进油阀，再开启冲洗（或水封水）水阀，排净分油机中的油，然后把控制阀转到“1”（外管进水、内管断），使活动底盘下落，打开排渣口，使分油机中的水和污渣一起排出，这是排渣过程。再把控制阀转到"2"位（内外管同时断水），将活动底盘下面的水全部放掉，这是放水过程。大约 5 ~ 6s 后，再将阀转至"3"位，进水密封，又可进行分油。因而这一过程是"3—4—1—2—3—4"的顺序转动控制阀，并相应的开闭进油阀及冲洗水和水封进水阀。

现在将这一手动操作程序，根据每转至一个位置停留的时间预先规定好，构成自动控制装置，如图 4－13 所示，用电磁阀 V_{1-1} 控制外管进水，电磁阀 V_{2-1} 控制内管进水，电磁阀 V_{3-1} 控制进入分油机的冲洗水和水封水。这些电磁阀都是通电时打开，断电时关闭。三通电磁阀 V_0 控制进入分油机的污油。通电时，阀芯被吸上，截止通大气的通路 3，压缩空气经阀 V_0 的 1 和 2 进入节流止回阀 S_c。

并经针阀的节流作用，使阀 V_s 的阀芯上部空间的压力慢慢增加，经 3 ~ 5s 的延时，阀 V_s 道路 3 截止，1 和 2 通，被加热的油慢慢进入分油机。电磁阀 V_0 断电时，阀芯下落，气源截止，2 和 3 通，阀 V_s 的阀芯上面的空气不经节流止回阀 S_c 的针阀而直接顶开球阀泄至大气。阀 V_s 的阀芯在弹簧作用下迅速上移，截止油进入分油机，被加热的油经阀 V_s 的 1 和 3 在分油机外面循环。电磁阀 V_{T-1} 用于控制油加热。在正常分油情况下，电磁阀 V_{T-1} 断电，阀芯下落，与大气相通的通路 1 被截止，温度调节器 T（f 为油温度检测元件）输出的控制信号经阀 V_{T-1} 的 3 和 2 直接控制蒸汽阀的开度，对油进行恒温控制。在启动前，油未进入分油机的情况下，电磁阀 V_{T-1} 电，阀芯吸上，切除温度调节器的工作，蒸汽阀的作用空气与大气相通。蒸汽阀全开，快速对油加热。阀 ES 是应急阀，在分油过程中若发生跑油等故障时，阀 ES 动作，发出报警，并同时切断油进入分油机的通路，停止分油。此时应关掉蒸汽截止阀和关闭分油机，立即处理，排除故障，整个分油、排渣、再分油过程的全部启闭顺序，由时序控制器和定时器来控制。

第六节　各种制淡装置工作原理

一、船舶制淡装置功用与淡水质量要求

船舶航行时，要消耗大量的淡水，因为柴油机冷却水管道中存在淡水泄漏，辅助锅炉蒸汽与凝水也有泄漏等损耗，同时还有船员及旅客的生活用水等。而这些用水，对于沿海和内河航行的船舶，可以利用船上淡水舱（柜）在航行沿途中进行不断补给，但对于远洋船舶，由于远距离航行，一般中途进行淡水的补给较困难，若用大容量的淡水舱（柜）带足淡水来满足全船的消耗，就要减少货物装载量（对军舰来说就要减少武备量），这显然是不经济的。因此对于远洋船舶就需要设置专门的造水装置，来弥补船上淡水量的不足。

船舶上消耗的淡水，由于用途不同，对于淡水的质量要求亦不一样。

1. 锅炉用水：锅炉用水要求水的盐度和硬度（水中含钙和镁离子量）值要小。因为水中盐分增加，会加快锅炉的腐蚀；水中硬度的增加，会加快锅炉水垢的产生。锅炉工作压力及温度越高，则对锅炉用水的盐度和硬度控制越严格。

2. 洗濯用水：船上洗濯用水，是用来洗衣服、洗脸、洗澡、洗刷食具等。这种淡水要求无细菌、无臭、无污物，允许有一定的盐度和硬度。

3.柴油机冷却用水:这种淡水无严格要求,只要盐度和硬度值不要太高。

4.饮用水:这种水除了要求清晰、无毒和无污物外,允许有一定的盐度和硬度,并希望会有一定量的对人体有益的矿物质。

对于柴油机动力装置的船舶,锅炉为低压辅助锅炉,因而对锅炉用水要求不高,常把锅炉用水,洗濯用水、冷却用水混装在一个水舱内。如果供水源是较好的自来水,则上述四种用水可共用两个水舱。

二、船舶制淡装置的主要类型和工作原理

船舶制淡装置就是把海水转化为淡水的装置。根据其海水制淡装置的结构和工作原理不同,常用的制淡装置主要有沸腾式制淡装置、闪发式制淡装置、电渗析制淡装置等。

利用电渗析海水制淡,虽然水质较好,能作饮用水,但这种制淡装置效率低,造水成本高,因而船上应用较少。目前普遍采用的是沸腾式和闪发式造水装置。

1.沸腾式制淡与闪发式制淡的工作原理

不论是沸腾式还是闪发式制淡,其基本原理是利用海水蒸发来分离水中的盐分和杂质。其制淡的基本过程是,海水加热进行蒸发,蒸汽冷凝后即成淡水;而未蒸发的海水(盐度和杂质较多)被排出。

沸腾式制淡是将海水送入蒸发器内,利用加热的水或蒸汽经过加热管对海水进行加热,海水受热沸腾进行蒸发;蒸发出来的汽(冷凝、收集)即成淡水。而余下的盐度和杂质较多的海水,从蒸发器内排出。

闪发式制淡是将海水首先流进加热器进行加热,然后喷入闪发室,热的海水喷出时,一部分蒸发成汽后经冷凝、收集即成淡水,而余下的海水被排出。

由于水的沸腾温度,随着水的压力降低而降低,例如水在大气压力下(约 0.1MPa)的沸腾温度为 100℃,而在 0.0114MPa 压力下(即在真空状态)沸腾温度只有 48℃。海水在低温下沸腾,可以使加热海水所用热源的温度较低,这样能更有效地利用船上余热来加热海水。例如当制淡装置在 0.007 ~ 0.010MPa 压力下工作,则海水只要加热到 35 ~ 45℃左右即可沸腾,这样海水可利用柴油机的冷却水(其温度为 55 ~ 65℃)进行加热。同时海水在低温下沸腾,可使海水在蒸发器内结垢减少,也有利于制淡装置效率的提高。因此沸腾式或闪发式制淡装置,大多采用在真空状态下制淡。

图 4 - 14 是真空沸腾式制淡装置原理图。蒸发器 1 中所盛海水,由柴油机的冷却水(热水)通过加热管 9 进行加热,海水被加热后沸腾蒸发,蒸汽经过蒸发器上方的汽水分离器 2,把蒸汽夹带的小水滴(含有一定盐分)分离出来,以净化蒸汽,然后把蒸汽引至冷凝器 5 冷凝成凝水,凝水通过凝水泵 7 抽出,送至淡水舱(柜)。冷凝器 5 的循环冷却水由海水泵 6 供给。蒸汽在冷凝器内冷凝时,体积变小,使压力降低形成真空状态。为使冷凝器维持真空状态,由空气抽除器 4 不断地把冷凝器中空气抽出。由于冷凝器和蒸发器用管道连接,因此冷凝器和蒸发器都处于真空状态下工作。蒸发器中的海水也由海水泵 6 通过调节

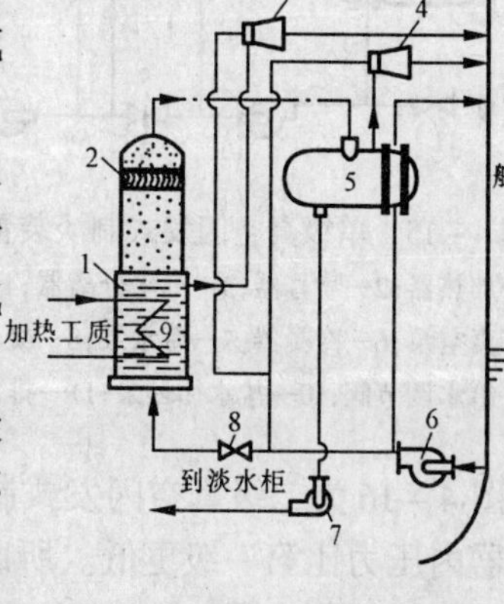

图 4 - 14　真空沸腾式制淡装置原理图

1—蒸发器;2—汽水分离器;3—盐水泵;4—空气抽除器;5—冷凝器;6—海水泵;7—凝水泵;8—调节阀;9—加热盘管

阀 8 不断补给,蒸发后余下的海水,由盐水泵 3 不断从蒸发器内部抽出排至舷外,这样不但维持蒸发器海水量,同时可相对维持蒸发器内海水的盐度量。盐水泵 3 和空气抽除器 4,都是在高真空度情况下工作的,因而都选用具有吸入真空度比较高的喷射泵,而喷射泵的动力是来自由海水泵 6 提供的一部分海水。

与真空沸腾式制淡装置不同,真空闪发式制淡装置的海水加热和蒸发不在蒸发器内进行,而是在另一加热器内由加热工质在非沸腾状态下加热,再将加热的海水喷到高度真空的低压容器(称闪发室)内作雾状蒸发。真空闪发式制淡装置不直接在蒸发器内蒸发,可防止在蒸发器内存有水垢,并有利于淡水质量的提高。

真空闪发式制淡装置有单级和多级之分。图 4-15 为单级真空闪发式制淡装置原理图,从盐水循环泵 10 来的海水经加热器 1 加热,然后到蒸发器 4 内的闪发室经喷雾器 2 喷出。由于真空泵 5 的抽除作用,蒸发器内压力较低(真空状态),从而喷出的雾化海水,一部分迅速转化成蒸汽,其余未蒸发的海水落到蒸发器底部。因蒸发吸热,故蒸发器 4 内的海水温度要低于加热器 1 内的海水温度。蒸发器底部的海水,由盐水循环泵 10 抽出,其中大部分重新返回加热器加热,一部分排至舷外。蒸发器内产生的蒸汽,经汽水分离器 3 分离后,汇集到上部蒸汽空间并进入冷凝器 6 冷凝成淡水,凝水由凝水泵 8 送至淡水柜(舱)。冷凝器内的冷却水,由海水泵 7 供给,从冷凝器内返回的一部分海水,经调节阀 9 送至加热器作为补给水,大部分排出舷外。

这种单级真空闪发式制淡装置的经济性与真空沸腾式制淡装置差不多。为了充分利用制淡装置中被排出的盐水的热量,以及蒸汽冷凝时的汽化热,可采用多级装置,则造水的经济性可大大提高。

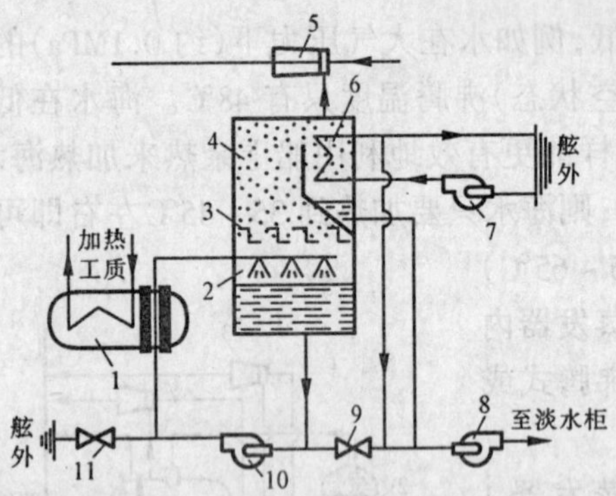

图 4-15　单级真空闪发式制淡装置原理图

1—加热器;2—喷雾器;3—汽水分离器;4—蒸发器;
5—真空泵;6—冷凝器;7—海水泵;8—凝水泵;
9—给水调节阀;10—盐水循环泵;11—排污调节阀

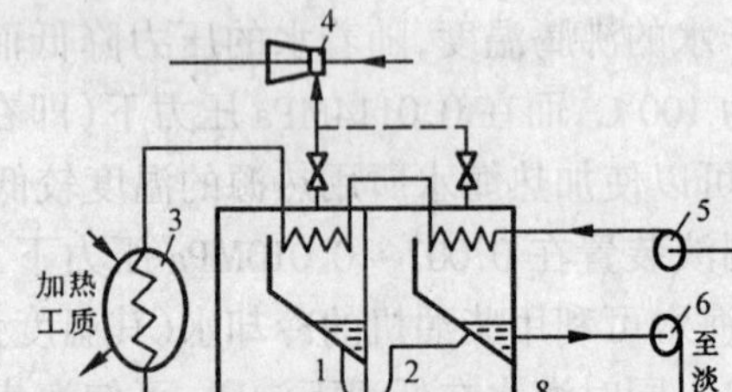

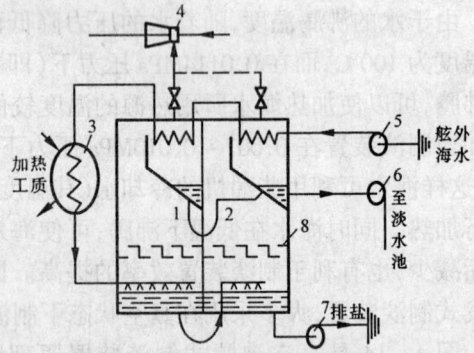

图 4-16　二级真空闪发式制淡装置原理图

1—Ⅰ级蒸发器;2—Ⅱ级蒸发器;3—加热器;
4—真空泵;5—海水泵;6—凝水泵;
7—盐水泵;8—汽水分离器

图 4-16 为二级真空闪发式制淡装置原理图。二级是指蒸发过程有二次,而且第二级蒸发器内压力比第一级更低。所以将第一级蒸发器内没有汽化的海水,通到第二级蒸发器内继续蒸发成蒸汽,最后盐度较大的海水,才由盐水泵排至舷外。同时海水泵 5 供给的海水,通过各级中的冷凝器,吸收了蒸汽冷凝时放出的热量,而后全部作为制淡装置的补给水。多级制淡装置虽经济性得到提高,但装置构造较为复杂,所以一般船上很少采用。

2. 真空沸腾式制淡装置及系统与真空闪发式制淡装置及系统实例

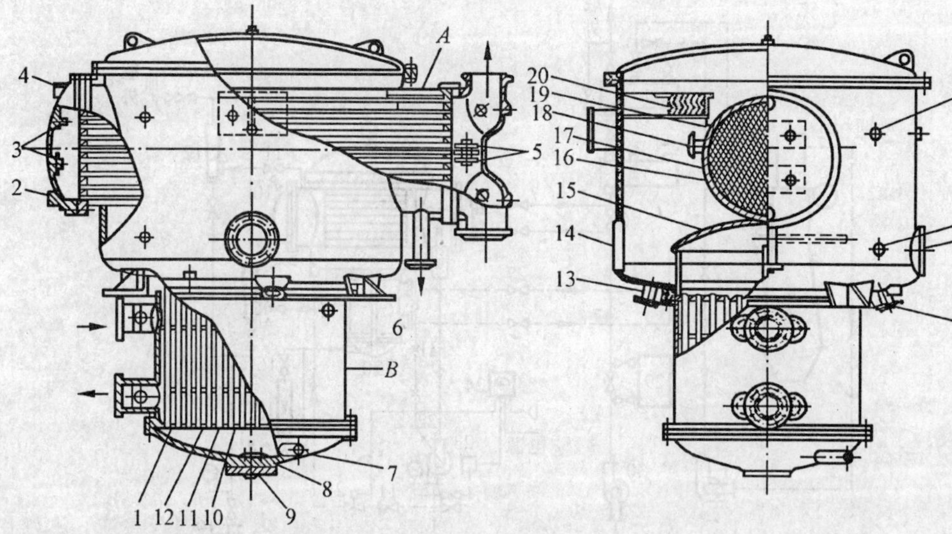

图 4－17　真空沸腾式制淡装置的蒸发－冷凝器组

1—蒸发器加热管；2—放水旋塞；3、5、8—防腐锌板；4、6—空气旋塞接头；7—给水进口；9—泄水阀接头；10—管板；11—隔水板；12—定位套管；13—排污口；14、23—观察窗；15—汽水分离挡板；16—空气冷却器管束；17—挡板；18—空气抽出口；19—冷凝器管束；20—汽水分离器；21、22—真空表接头；24—不合格的冷凝水回流口

真空沸腾式制淡装置，是目前我国沿海及远洋船舶上应用最广泛的一种。图 4－18 所示为真空沸腾式制淡装置的系统原理图。这种制淡装置中主要的组件是蒸发－冷凝器组，蒸发－冷凝器组的结构如图 4－17。它实际上是把图 4－14 中的蒸发器 1、汽水分离器 2、冷凝器 5 及加热管 9 组装成一体，这样可使制淡装置更为简化，制淡时对装置的操作和保养简便，并能缩小制淡装置的安装尺寸和简化制淡装置的安装要求。

如图 4－18 所示，海水泵 19 从船外吸入的海水，经弹簧稳压阀 18 和浮子流量计 17 进入冷凝器组 8 下部进水口，沿直立式的蒸发管束内自下而上流动，在这里受到从主机淡水冷水泵压送来的主机冷却水（水温一般可达 60～65℃）的加热。由于冷凝器组是在真空（0.686×10^4 MPa—真空度 93%）情况下工作，因而海水只要被加热到 38.66℃时便开始沸腾而蒸发。

从蒸发－冷凝器组内蒸发出来的蒸汽，通过汽水分离挡板（图 4－17 中的 15）和波纹板式的汽水分离器（图 4－17 中的 20），才能进入冷凝器管束（图 4－17 中的 19），这样可把沸腾蒸发时被蒸汽夹带出的小水滴进行充分的分离，保证蒸汽的干度。而流进冷凝器内的冷却水，是由主机海水泵 30 提供，从冷凝器内流出的冷却水，继续作为柴油主机的滑油冷却器下和淡水冷却器 4 的冷却水，最后才排出舷外。蒸汽在冷凝器内凝结成淡水后，由凝水泵 22 抽出，经淡水流量计 26 排入淡水柜（舱）。并且由凝水泵排出的一小部分淡水，经盐度传感器 23 而循环流动，以便由盐度计 24 监视淡水中的含盐量。如果淡水中含盐量超出限定值时（一般为 50PPM），盐度计 24 便发出声光警报，同时打开电磁阀 21，使不符合要求的淡水，经回流管流回到蒸发器中，这时，凝水泵出口与具有真空度的蒸发器连通而出现真空，使淡水送往淡水柜（舱）停止。同时由于截止止回阀 25 的作用，防止了淡水柜内的淡水或空气倒流入蒸发器内。同理，截止止回阀 11 的作用是防止制淡装置未进入正常工作时，由于电磁

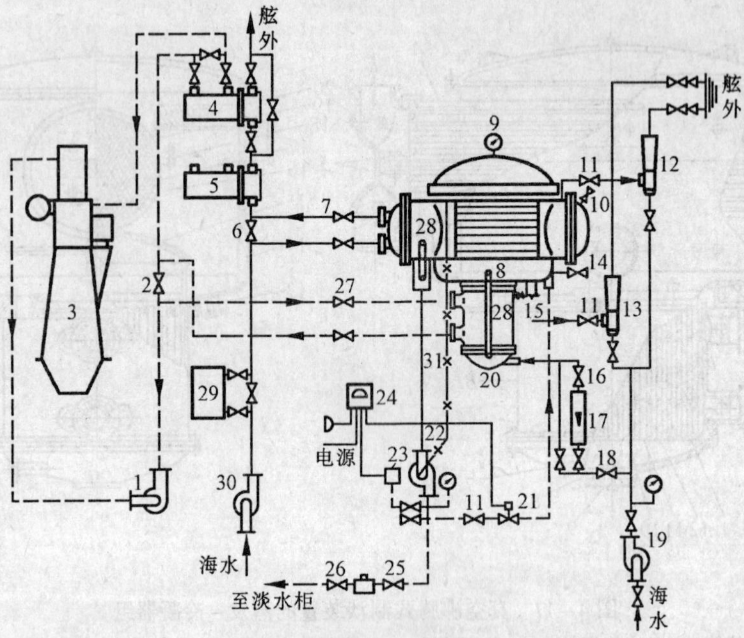

图 4-18 真空沸腾式制淡装置的系统原理图

1—主机淡水冷却泵；2—加热水调节阀；3—主机；4—主机淡水冷却器；
5—主机滑油冷却器；6—海水调节阀；7—冷却水进出阀；8—蒸发冷凝器组；
9—真空压力表；10—放气旋塞；11—止回阀；12—真空泵；13—排污泵；
14—真空破坏阀；15—放气旋塞；16—给水调节阀；17—浮子流量计；
18—弹簧稳压阀；19—制淡装置海水泵；20—泄水阀；21—回流电磁阀；
22—凝水泵；23—盐度传感器；24—盐度计；25—淡水排出阀；26—淡水流量计；
27—加热淡水进出口阀；28—水位计；29—主机空气冷却器；30—主机海水泵；
31—平衡管

阀 21 的泄漏而使蒸发器内的海水进入凝水泵的出口，污染淡水，使淡水质量降低。

凝水泵 22，通常采用电动离心泵，其水泵的吸入口在真空情况下工作。为了防止因水泵轴封不严而漏入空气，使凝水泵无法工作，在水泵的吸口与蒸发器之间装有平衡管 31，使水泵吸口处的空气能引到蒸发器内。

在冷凝器中未被冷凝的小量蒸汽及空气，绕过图 4-17 中的挡板 17 进入图 4-17 中的空气冷却管束 16，然后经图 4-17 中空气抽出口 18，被图 4-18 的系统真空泵 12 抽出，以维持蒸发器内的真空度。未蒸发的海水，经蒸发器的排污口，由系统排污泵 13 排至舷外。排污泵 13 和真空泵 12 都为喷射泵，由图 4-18 的海水泵 19 提供压力海水作为动力。为了防止因喷射泵工作失常，造成海水倒流入蒸发器内，在喷射泵的抽吸口处装有截止止回阀。

通过蒸发器中部左右侧观察窗(图 4-17 中的 14，23)能非常清楚地见到蒸发器中海水沸腾蒸发的情况。在蒸发器的外壳上，装有海水和凝水水位计。但由于蒸发器中的海水在剧烈地沸腾蒸发，因此其比重比水位计中不沸腾的水要小，所以从观察窗中见到的水位，与水位计中反映的水位不一致(蒸发器内水位高于水位计内水位)。通常蒸发器内的水位，随着海水沸腾的剧烈程度而变化，同时它的水位高低与制淡质量有关，所以蒸发器内的水位必须进行控制，而水位计指示的海水高度仅供操作时参考。

制淡装置中的海水冷却水量及加热用水量的大小，对淡水装置的淡水产量和质量有密切关系，因而在制淡装置中装有海水冷却水量调节阀 6，加热水量调节阀 2。

蒸发器的壳体，由钢板卷焊而成。冷凝器及蒸发器内的管子及管板等，都采用耐腐蚀的锡黄铜或铝黄铜制成；流进海水的部位，还装有防腐锌板(图 4－17 中的 3,5,8)等。

图 4－19 为真空闪发式制淡装置的系统原理图，从柴油机缸套出来的冷却水(热水)，经阀 36 进入加热器 1，对加热器内的循环盐水(海水)进行加热后从阀 37 流出。盐水由盐水循环泵 11 从闪发室 4 底部抽出，并补入从淡水冷却器 2 流出的部分冷却海水作为给水，然后流入盐水加热器，被加热至相对于闪发室压力下过热 5～8℃。热盐水通过喷雾器 5 喷入真空度为 93%的闪发室 4 中，这时，约有 0.8%～1.4%的盐水闪发成汽，并经网式汽水分离器 6 流入冷凝室 7，而大部分未汽化的盐水则落到闪发室的底部，由盐水循环泵抽出循环。

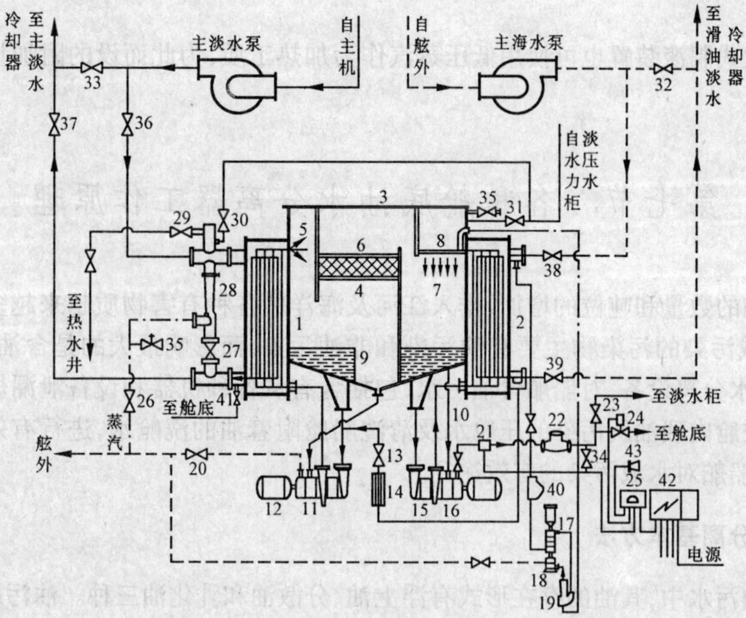

图 4－19　真空闪发式制淡装置的系统原理图

1—盐水加热器；2—淡水冷却器；3—蒸馏器；4—闪发室；5—喷雾器；6—汽水分离器；7—冷凝室；8—淋水板；9—溢流板；10—溢流管；11—盐水循环泵；12—排盐泵；13—给水调节阀；14—浮子流量计；15—淡水循环泵；16—凝水泵；17—真空泵的供水泵；18—真空泵的排水泵；19—真空泵(射水抽气器)；20—排盐调节阀；21—盐度传感器；22—凝水流量计；23—弹簧止回阀；24—泄流电磁阀；25—盐度计；26—蒸汽截止阀；27—加热循环阀；28—蒸汽射水器；29—弹簧止回阀；30、31—启动注水阀；32—冷却海水调节阀；33—加热淡水调节间；34—凝水取样阀；35—安全阀；36、37—加热淡水进出口阀；38、39 冷却海水进出口阀；40—滤器；41—泄水阀；42—电控制盘；43—蜂鸣器

加入盐水循环系统的补给水量按要求应为制淡量的八倍(给水倍率 $\mu=8$)，具体可通过给水调节阀 13 加以调节，并由浮子流量计 14 示出。

在闪发室底部设有溢流板 9，溢出的水由排盐泵 12 排出，以使闪发室保持恒定的盐水水位和适当的排盐量。

闪发而成的蒸汽进入冷凝室7后，即遇到从淋水板淋下的冷淡水，于是凝结成水落入冷凝室底部，并由淡水循环泵15抽出，送入淡水冷却器2，在其中被主机海水泵供来的海水冷却，然后再进入冷凝室顶部，作为闪发蒸汽的冷却工质。因此，这种蒸馏装置在最初启动时，冷凝室中就需预先加入足够的循环冷却淡水。为此，可由船上日用淡水压力柜经启动注水阀31加入，冷凝室中的水位达到玻璃水位计的半高处即可。采用喷水冷凝除考虑总体方面的原因外，主要是利用冷淡水和蒸汽直接混合可改善换热效果。

为了使淡水循环泵进口水位稳定，在冷凝室底部设有溢流管10，所产淡水即溢入此管，再由凝水泵16排至淡水舱。在凝水管路上还装有盐度传感器21，当淡水含盐量超过50 mg/L(NaCl)时，盐度计就会使泄流电磁阀24打开，这时，不合格的淡水即直接流至舱底。

闪发室和冷凝室中的真空度由射水抽气器19来保持，射水抽气器的工作海水由供水泵17供给，工作压力为0.3~0.4MPa。抽气器排出的汽水混合物由排水泵18(与供水泵同轴)排出舷外。

真空闪发式制淡装置也可换用低压蒸汽作为加热工质，为此而设的附加设备和系统类似。

第七节　各种舱底油水分离器工作原理

随着船舶的数量和吨位的增加，排入江河及海洋的各种有害物质越来越多，造成污染。船舶造成水域污染的污染物主要有油污染和非油污染，而影响最大的是含油污水的污染。因此，设置油水分离设备，对船舶含油污水，包括含有从各种机器和设备泄漏燃油和滑油的船舱底水和被舱内残油所污染的压舱水及清洗船舱附着油的洗舱水，进行有效地油水分离处理，是防止船舶对水域污染的有效途径。

一、油水分离基本方法

在船舶油污水中，其油的存在形式有浮上油、分散油和乳化油三种。油污压舱水主要是浮上油和分散油，洗舱水及机舱舱底水中乳化油较压舱水多。

含油污水的处理方法有很多，按工作原理可分为物理法、化学法和生物法。船舶含油污水，若在船上处理的主要方法是物理法，若在岸上处理有时亦采用化学法和生化法。物理方法包括如下几种方法。

1.重力分离法

含油的污水，静置一定时间，在重力场的作用下，由于油和水的重度差，油便浮至水面而与水分离。这种方法是含油污水物理处理的最基本方法，其特点是结构简单、操作方便，但仅能分离呈自由状态的油，而不能分离乳化状态的油。其分离的形式分述如下。

(1)静置分离

即将含油污水贮置在舱(柜)内，利用油水重度差来分离。这种方法所需时间长，分离速度慢，要较大的场所，且难以连续使用。

(2)机械分离

将含油污水通过多层斜板、波纹板、细管等机械装置，从而形成螺旋流动、曲折流动和碰撞等，使微小的油粒聚集成较大的油粒而分离上浮。船用油水分离器大部采用这种方法。

2.空气浮选法

空气浮选法适合陆上使用，其形式有以下两种。

(1)充气浮选法

向含油污水充入空气，形成气泡，当气泡上浮时，将分散于水中的油粒吸附于气泡表面一起上浮，从而达到分离的目的。

(2)加压浮选法

给含油污水加压使空气溶于含油污水中，再恢复为大气压，则溶入的空气变为微小气泡，油粒附着于气泡上而分离上浮。

3.过滤分离法

含油污水通过多孔性过滤元件，将油挡住而让水通过。过滤作用也可使含油污水通过过滤材料的细小缝隙，使小油粒聚合成大油粒上浮。过滤材料一般为砂、卵石、微孔塑料管、合成纤维、泡沫海绵及烧结状树脂等。

4.吸附分离法

吸附分离的方法是利用多孔性的固体吸附材料直接吸附含油污水中的小油粒而达到分离的目的。按这种原理来连续回收大量的油，在结构上较困难，故通常只作为附加装置使用。常用的吸附材料有砂、活性炭及各种高分子吸附材料等。

除了上述几种分离方法外，还有超声波分离、电气分离、化学凝聚、生物氧化等几种分离方法。用物理方法处理含油污水的方法简单可靠且不会对水造成二次污染，故目前国内外船用油水分离器主要采用物理方法。如用于处理舱底水的油水分离器主要是利用重度差原理的机械分离法及过滤分离法。

二、油水分离器的结构及工作原理

船用油水分离器，大多利用机械重力法的斜板，也有采用机械重力法加纤维粗粒化元件或全部采用粗粒化元件或过滤材料，还有采用斜板和过滤材料的组合体。下面介绍几种主要型式的油水分离器。

1.多层斜板式油水分离器

此种型式多用于处理船底水的油水分离器。其结构如图4-20所示。油水分离器壳体内有上下两个室，上部为粗分离室16，下部是细分离室9。当含油污水由分离器的入口沿切线方向进入粗分离室后，在扩张的管道中减速并在粗分离室16内作螺旋流动而进行粗分离。由于螺旋流动产生的离心力作用，不仅能增加油粒互相碰撞的机会，而且还可使比较轻的油粒向粗分离室16的中部汇集(颗粒较大的油粒上浮到顶部集油室19)，然后经过多孔阻滞板20时，环流运动停止，较小的油粒便聚集成大油粒而沿多孔阻滞板20上升至集油室19。在粗分

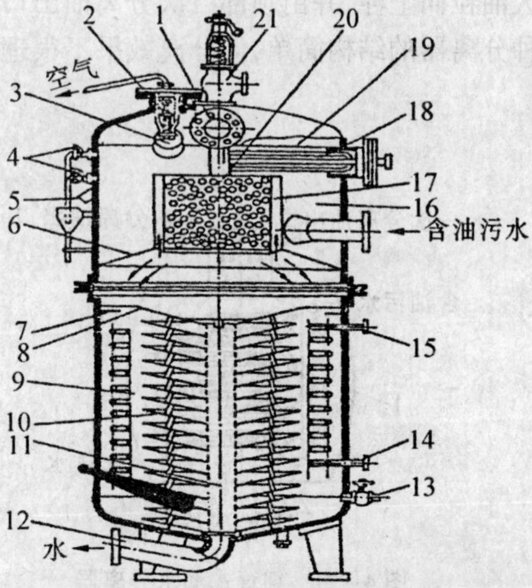

图4-20 多层斜板式油水分离器

1—排油管；2—空气泄放阀；3—控制浮球；4—试验旋塞；5—自动排油电极插口；6—集油罩；7—支撑板；8—拉撑板；9—细分离室；10—斜板；11—集水管；12—排水管；13—排泄阀；14—加热蒸汽出口法兰；15—加热蒸汽进口法兰；16—粗分离室；17—油上升管；18—蒸汽加热器；19—集油室；20—多孔阻滞板；21—安全阀

离室 16 处理过的含油污水通过集油罩 6 中部流入细分离室 9,沿斜板 10 的外围与分离器壳体之间的环形空间下降,由于流向急剧变化而使含油污水流入各斜板 10 之间的空间,而斜板均套在集水管 11 上,最上部的斜板通过拉撑板 8 用螺钉固定于壳体上的支撑板 7 上,各斜板(倾斜角为 15°)间均有支撑片相互隔开,以构成容积相同的小室。流入各斜板的含油污水以极慢的速度流经多层斜板 10 间的狭窄通道,细小油粒互相碰撞,使油粒聚集而变大,当其受到浮力大于本身重力与粘滞阻力之和而上浮时,油粒沿着斜板 10 的下表面向外流动,最后脱离斜板外边缘而直接上浮至集油罩 6 的下面,再经油上升管 17 进入油分离器上部的集油室 19。被分离出的油经排油管 1 到污油柜。处理过的水通过细分离室中央的集水管 11,经油水分离器底部的排水管 12 排出。集水管在每两层斜板之间沿周向开有六个小孔,以使斜板间的水能均匀流入管内。

此外,在分离器顶部还装有浮球 3 控制的空气泄放阀 2,可放掉由舱底水泵带来并聚集在油水分离器顶部的空气,以免油面过分下降。在油水分离器的上部和下部设有蒸汽加热器 18(有的下部不装),当气温较低或分离粘度较大的含油污水时,可进行加热,使油粒易于上浮和排出。

多层斜板式油水分离器能够处理的油粒直径大于 10μm,一般经过其处理过的含油污水的含油量为$(10 \sim 20) \times 10^{-6}$,并能保证船舶在横倾 15°时正常工作。

2.细管式油水分离器

细管式油水分离器的基本工作原理如图 4-21 所示,在壳体内装有几组聚合油粒的细管 3,含油污水进入分离器后,大油粒上浮至顶部,从一次分离油出口排走;细小油粒随污水下流进入粗分离室 1,然后依次进入细分离室 2 的三组细管 3 内,细小油粒便逐渐聚合为粗大油粒而上浮,并由顶部二次分离油出口排出;被处理过的水则由下部排水口排至船外。这种分离器的结构简单,但分离效果不很理想。一般用作舱底水分离器。

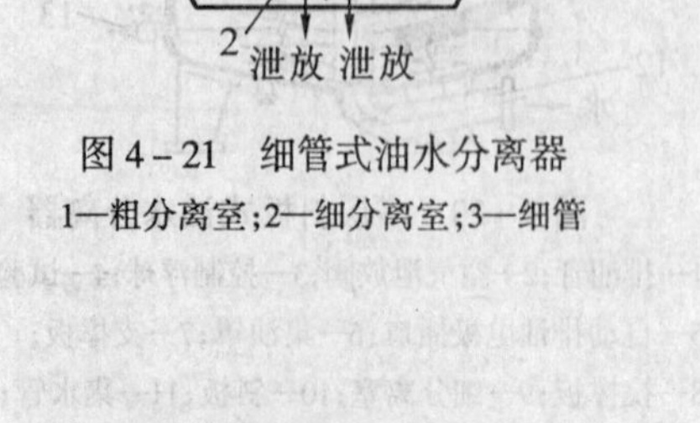

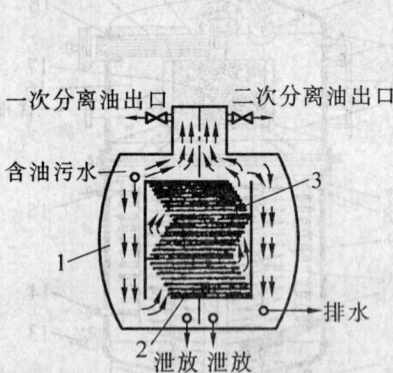

图 4-21 细管式油水分离器

1—粗分离室;2—细分离室;3—细管

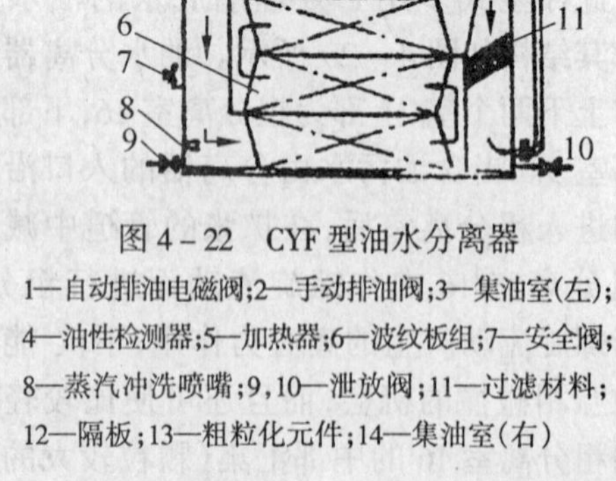

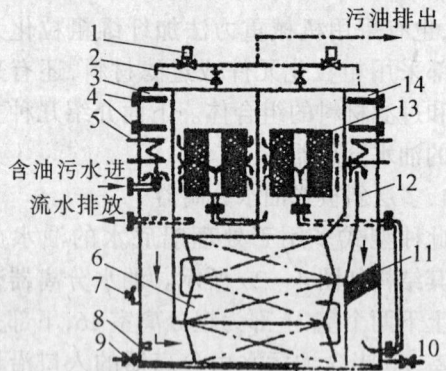

图 4-22 CYF 型油水分离器

1—自动排油电磁阀;2—手动排油阀;3—集油室(左);4—油性检测器;5—加热器;6—波纹板组;7—安全阀;8—蒸汽冲洗喷嘴;9,10—泄放阀;11—过滤材料;12—隔板;13—粗粒化元件;14—集油室(右)

3.CYF 型油水分离器

CYF 型系列国产的船用油水分离器,用来处理船舶机舱舱底水,其系列产品按容量有 0.6t/h,1t/h,2t/h,3t/h 和 5t/h 等五种不同规格,可满足各种吨位船舶的使用要求。该型油水分离器是一种采用重力分离加聚集合(粗粒化)分离的组合式分离器。图 4 - 22 为其流程原理图,舱底含油污水由电动往复泵经多个扩散喷嘴进入油水分离器,粗大油粒即上浮到左集油室 3 的顶部;而含有细小油粒的污水向下进入由峰谷对置的波纹板组 6 所构成的重力分离装置中,细小油粒不断碰撞和聚合,在波纹板组 6 的出口处形成粗大油粒而上浮至右集油室 14 的顶部;污水则经过过滤器 11 和外接管路进入一二两级聚合元件(亦称粗粒化元件)使尚留下的细微油粒在其中聚合成大油粒与水分离,然后上浮至集油室。在左右集油室各装有电极式油位检测器 4,通过控制箱实现自动排油。而汇于集油室的污油量不多,可定期进行手动排油。处理后符合标准的清水由排出口排出。

该型油水分离器有如下特点:

(1)用重力分离和粗粒化分离的组合结构,不容易被泥砂、杂质堵塞,故其使用寿命长;

(2)分离性能优良、运行稳定、处理后排放的水含油量小于 10×10^{-6};

(3)粗粒化元件是定型产品,定期更换方便;

(4)操作简单,使用可靠,维护方便;

(5)油水分离器壳体内部采用防腐涂料,经久耐用;

(6)采用电动往复泵,能减少泵本身对含油污水造成干扰和乳化现象。

第八节　辅助锅炉的工作原理

在柴油机船舶上,必须设置产生蒸汽的辅助锅炉,以保证提供一定数量和压力的蒸汽供全船使用。在小型柴油机船舶上,所产生的蒸汽用于加热生活用水、蒸饭和舱室取暖;在中大型柴油机船舶上,所产生蒸汽除用于上述生活需要外,还用于柴油机启动前的暖缸、燃油、滑油的加热,有的还用于驱动部分蒸汽轮机动力机械和设备。另外,所产生的蒸汽还用于冲洗海底阀、油舱等。

一、船舶辅助锅炉分类

常用船舶辅助锅炉按热交换结构型式可分类为火管式辅锅炉和水管式辅锅炉。火管式辅锅炉是烟气在锅炉管内流动,水在管外被加热;水管式辅锅炉是烟气在锅炉管外流动,水在管内被加热。

常用船舶辅助锅炉按热源型式可分类为燃油辅锅炉和废气辅锅炉。燃油辅锅炉是直接利用燃油燃烧产生蒸汽的辅锅炉,废气辅锅炉是利用柴油机高温排气(300 ~ 400 ℃)的余热产生蒸汽的辅锅炉。随着柴油机功率的加大,废气余热利用率的提高,某些船舶上废气锅炉产生的蒸汽,除了足够供应生活和一般用途外,还能驱动蒸汽轮机发电机。目前一些大功率船舶除主机排气管上装有废气锅炉外,在柴油机发电机组的排气管上,也装有废气锅炉,以减少船舶停港时燃油锅炉的使用时间,利于节约燃油。同时废气锅炉还能起到排气消声的作用。燃油辅锅炉和废气辅锅炉可以分别设置,各自独立工作,燃油辅锅炉只在船舶停航时使用,航行时主要用废气辅锅炉。也可以把燃油辅锅炉和废气辅锅炉合并在一个炉体内,废气和燃油两部分既可单独使用,也可联合使用,这种辅助锅炉被称为废气 - 燃油联合型辅锅炉。该类型辅锅炉结构虽然紧凑,但锅炉安装位置会受到主机排气管的限制。

二、辅助锅炉基本构造与工作原理

1.火管式辅锅炉

火管式辅锅炉，又称烟管式辅锅炉，属于不规则水循环锅炉，有立式与卧式之分，立式的又分横置烟管与竖直烟管，而卧式仅横置烟管锅炉一类。图 4－23 是立式横置烟管燃油的火管式辅锅炉结构示意图，其圆筒形锅炉筒体 1 由锅炉钢板卷制后焊接而成，为能更好地承受锅炉内部的蒸汽压力，锅炉筒体的顶部和底部由椭形封头构成。炉体内部有一球形炉胆 13，炉胆上有一个圆形的出烟口，与方形的燃烧室相通。在燃烧室与前烟箱之间，设有管板，两管板之间装有由许多根水平烟管组成的烟管簇 11，烟管由无缝钢管制成，与管板之间可用扩接或焊接方法连接。炉胆和烟管将锅炉筒体分成两个空间，它们里面是燃烧的烟气，外面则充满着水。装在锅炉前的电动油泵通过由燃烧器 14 和喷油嘴 15 等组成燃烧机构不断向炉胆内喷油，同时由燃烧机构的鼓风机将空气经燃烧器送入炉内助燃。油在炉胆内基本燃烧完毕，未燃完的油和气经出烟口到达燃烧室后继续燃烧，然后顺烟管流至烟箱 12，从烟道排入大气。

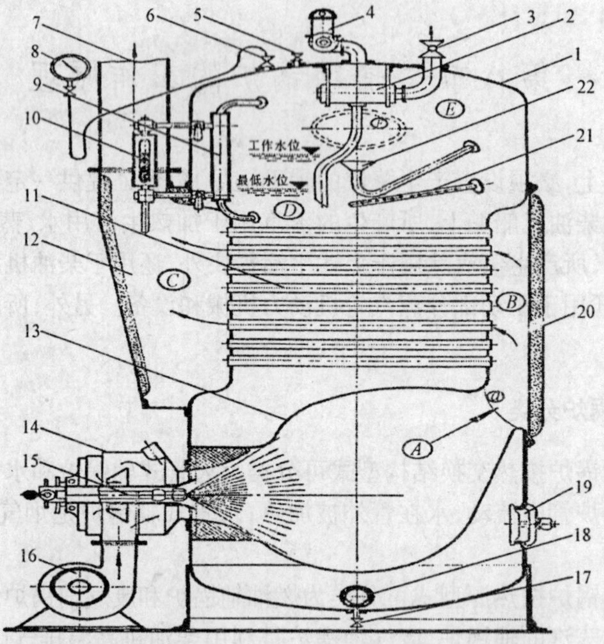

图 4－23　立式横置烟管燃油的火管式辅锅炉结构示意图

1—锅炉筒体；2—汽水分离装置；3—主汽阀；4—安全阀；5—空气旋塞；6—压力表阀；7—烟囱；8—压力表；9—水位表稳定柱；10—水位表；11—烟管簇；12—烟箱；13—炉胆；14、15—燃烧机构；16—风机；17—底部放泄阀；18—下排污管；19—人孔或手孔装置；20—燃烧室背板；21—内给水管；22—上部排污装置(集污盘)；Ⓐ —炉膛空间；Ⓑ —燃烧室空间；Ⓒ —烟箱空间；Ⓓ —锅筒容水空间；Ⓔ —锅筒容汽空间；Ⓕ —人孔；Ⓖ —喉部

烟气在炉胆里和流经烟管的过程中，不断将热量传至外围的炉水中，使炉水受热产生蒸

汽。烟气在烟管中流动时,扰动越强烈,对传热越有利,因此烟管可用麻花形钢管制成。水受热后产生的蒸汽聚集在锅炉上部的蒸汽空间,然后经集汽管上的汽水分离装置2分离水分后经汽阀3输出。

在燃烧室背后和烟箱前面,都设有可开放式燃烧室背板20,便于清除烟管中的烟垢和用堵棒堵塞或更换损坏的烟管。锅炉筒体上设有人孔门19,以便人员进入炉体内进行维修和清扫积存的污垢。为了减少锅炉散热,降低机舱温度,防止人员烫伤,炉体外表面必须敷设绝热包层,并用簿铁皮外罩。

2.水管式辅锅炉

水管式辅锅炉一般都属于自然水循环锅炉,它是烟气在管外冲刷并加热在管内按一定方向流动的炉水。它与烟管式锅炉相比较,在相同蒸汽参数下,水管式辅锅炉结构紧凑,重量轻,金属耗用量少,水循环有规律,启动迅速,锅炉效率高。属于这一类型的辅锅炉有:立式短直水管、立式长直水管辅锅炉;三鼓筒(双烟道人字形)与二鼓筒(单烟道D型)水管辅锅炉等。图4-24为立式短直水管燃油辅锅炉简图,该型辅锅炉系由上锅筒8、下锅筒3、水管簇15及炉胆18等组成。水管簇15与上下锅筒采用扩管或焊接方式固结构成锅炉本体。作为锅炉对流受热面的水管簇15是垂直布置的,管内充满炉水,管外为高温烟气横向冲刷

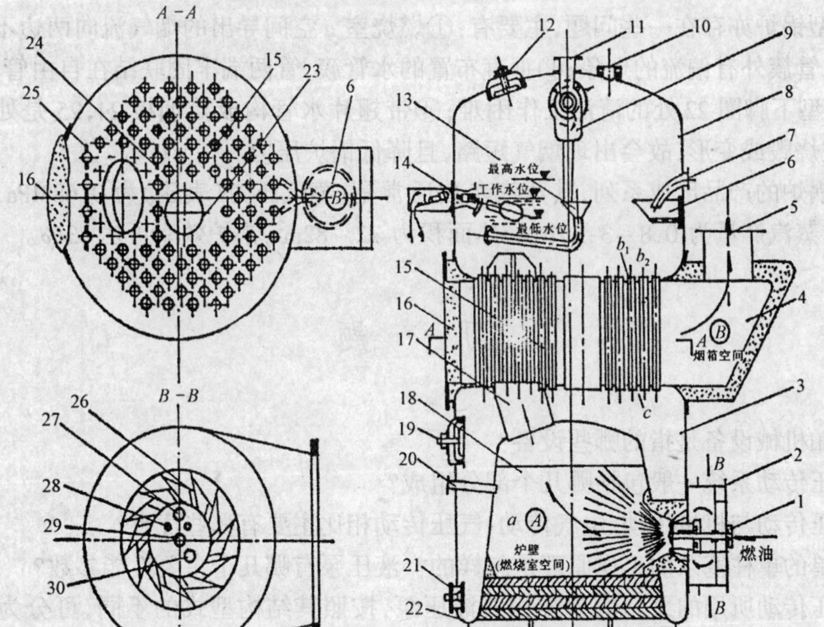

图4-24　立式短直水管燃油辅锅炉结构示意图

1—燃烧器;2—调风机构;3—下锅筒;4—烟箱;5—烟囱;6—溢水盘;7—补给水短管;8—上锅筒;9—汽水分离装置;10—输汽阀接管;11—主汽间接管;12、19—人孔装置;13—上排污装置;14—水位自动控制装置;15—水管簇;16—燃烧室背板;17—喉部短管;18—炉胆;20—观火孔;21—手孔装置;22—U型下脚圈;23—下降管;24、25—前后挡烟板;26—斜向导风叶片;27—火焰感受器;28—电火花点火器;29—燃烧器托架;30—人工点火孔;Ⓐ—炉膛空间;Ⓑ—烟箱空间;a—燃烧室;b_1、b_2—烟-气对称流向(双烟道);c—下管板;b—上管板

(管外壁为计算受热面)。炉胆 18 在下锅筒内通过喉部短管 17 与下管板①牢固联结，通过 U 型下脚圈 22 与下鼓筒牢固联结。炉胆外为容水空间，炉胆内形成炉膛－燃烧室空间@。该型锅炉工作时，液体燃料与相应的空气量通过炉前下方的燃烧机构 1,2 送入燃烧空间Ⓑ，再由点火器 28 点火，燃料燃烧时所产生的高温烟气，经喉部短管 17 进入水管群中空区 a(相当于燃烧室)。在 a 室前后排管采用带翅片水管构成挡烟板 24,25。烟气被迫分成左(a,b_1,Ⓑ)右(a,b_2,Ⓑ)环抱冲刷水管构成双烟道，最后汇集到烟箱Ⓑ，再由烟囱排到大气。在高温烟气的流路上，由于水管式代替烟管式，蒸发管可选用小直径(小 38/32,44.5/38.5 mm)的无缝钢管。因采用小管径，管间矩则可减小，烟气流向管簇时流速增加，对流受热面的传热强度可以提高，从而改善了锅炉的构造因素和经济性能。另在烟道中部布置了一根大直径的下降管 23，以利上下锅筒炉水的循环，保证锅炉工作时的安全。另外，大直径下降管可兼作人孔通道，利于维修。要保证锅炉能安全可靠地工作，除上述这些构件外，还必须装有许多其他附件；这些附件按其功用的不同，可分成燃油、给水、安全及自动化装置等。

该型辅锅炉较之立式横置烟管锅炉(图 4－23 所示)有了改进：其一是锅炉锅筒由整体改成上下锅筒，减少金属消耗，加工也较简便；其二水管是垂直布置，烟气横向冲刷烟管外壁，有利传热的提高；其三是选用小直径水管，水管数可增减，即对流受热面可调整；其四是用大直径下降管，保证上下锅筒的炉水畅通，既有利安全因素又可提高受热面的蒸汽产生率。但该型锅炉亦存在一些问题，主要有：①燃烧室 a 空间导出的烟气流向两边不可能均匀分配，在水管簇外有偏流的现象；②垂直布置的水管簇，管两端牢固联结在自由管板上，缺乏弹性；③U 型下脚圈 22 处的清洁工作困难；④带翅片水管构成挡烟板 24,25 是处在高温烟气区，易被烧毁或变形，故会出现烟气短路，且降低锅炉压力。

这类锅炉的产品已成系列，其蒸汽参数通常是：蒸汽压力(表压)为 0.68MPa，蒸汽为饱和湿蒸汽，蒸汽产量为 0.8～3.2t/h；受热面积为 22～82m^2，锅炉效率可达 83%。

习　　题

1. 船舶机械设备是指的哪些设备？
2. 液压传动系统一般包括哪几个部分组成？
3. 液压传动与机械传动、电气传动、气压传动相比主要有哪些优点？
4. 简单的单柱塞泵的工作原理是怎样的？液压泵有哪几个主要性能参数？
5. 液压传动所用的泵一般为容积式液压泵，按照其结构型式的不同，可分为哪几种类型？
6. 齿轮泵是如何工作的？齿轮泵的内泄漏有哪几条途径？
7. 叶片泵有哪两种作用式？轴向柱塞泵根据传动结构的不同可分为哪两类？
8. 液压阀在液压系统中起哪些作用？
9. 液压阀主要有哪些种类？它们又是怎样工作的？
10. 锚机是收放锚和锚链的机械，按驱动方式可分为哪几种锚机？液压锚机又是如何工作的？
11. 调速器换向阀如何工作？
12. 船舶自清滤器主要有哪两种？它们是如何对滤筒自动清洗？

13.自动控制分油机有什么作用？它们是如何工作？

14.船舶制淡装置有哪些功用？淡水质量有哪些要求？

15.船舶制淡装置就是把海水转化为淡水的装置。根据其结构和工作原理不同，常用的制淡装置主要有哪几种？它们又是怎样工作的？

16.含油污水的处理方法有哪几种物理方法？舱底油水分离器有哪几种主要型式？它们是怎样工作的？

17.为什么要在柴油机船舶上设置辅助锅炉？常用船舶辅助锅炉按热交换结构型式可分哪两类？它们各有什么特点？

第五章　船舶管系原理知识

为了保证船舶良好的航行机动性和保障船舶的生命力，为了给船员创造必要的生活条件，在船舶上设置了各种专用的管路和设备。通过这些管路设备可以向船舶内装载、向船舶外排送以及在船舶内部导移各种流体。这些管路设备统称为船舶管系。它包括构成输送流体通道的管路，控制管系中流体的通或止、方向和压力的阀件，提供管系中流体流动的能量如泵、通风机、压缩机等机械设备。

第一节　船舶制冷系统原理

制冷就是创造一个人工冷却工况，在一定时间和空间内将物体或流体冷却，使其温度降到环境温度以下，并保持恒定低温状态。制冷最早是用来保存食品和调节空间的温度，但制冷技术发展到今天，它的应用已渗透到工业生产、农牧业、轻工业、医药卫生等部门，尤其与国防工业和各类科学研究部门直至与人民生活都密切相关。

船舶制冷主要是指利用人造冰或天然冰等现成冷源来制冷和利用机械制冷两类。用冰块直接制冷，设备极其简单，操作也方便，但冰块占去较大的舱容，冰溶化时使食品受潮，助长微生物生长繁殖，同时冷库温度难以控制，因而影响冷藏食品的质量。这种方法仅在某些内河短途小船及近海捕鱼船上得以使用。

机械制冷中所用机械和设备的总和称为制冷装置或系统，装置中使用的工质称为制冷剂，冷剂在装置中循环流动，并不断地与外界发生能量交换，即不断从被冷却对象中吸取热量，向环境介质排放热量。制冷剂一系列状态变化过程的综合称为制冷循环。制冷循环必须消耗能量，而消耗能量可以是机械能、电能、热能、太阳能或其他形式的能量。船舶制冷主要是指普通制冷领域，其制冷的温度范围在 120K 以上。

一、制冷基本原理与基本系统

常见的机械制冷有液体汽化制冷、气体膨胀制冷、涡流管制冷和热电制冷四种。其中液体汽化制冷的应用最为广泛，它是利用液体汽化的吸热效应实现制冷的。蒸汽压缩式、吸收式、蒸汽喷射式和吸附式制冷都属液体汽化制冷。目前，我们最常见、应用最广泛的制冷机大多采用液体汽化制冷的方式。如果在一个密闭容器中，除了液体及其本身的蒸汽之外，不存在任何其他的气体，那么液体和蒸汽会在某一压力下达到平衡，此时的蒸汽我们称之为饱和蒸汽，其对应的压力和温度即是饱和压力和饱和温度，饱和压力随温度的升高而升高，如果将容器中的一部分蒸汽抽走，液体必然会汽化一部分成为蒸汽以维持平衡，而液体汽化时，需要从冷却对象中吸收热量，从而使冷却对象达到降温制冷的效果，为了使制冷过程持续进行，就必须不断地从容器中抽走蒸汽，再不断地补充液体，通过一定的方法把蒸汽抽走，并使它凝结成液体。如果要直接冷凝成液体，所需的冷却介质温度比蒸发温度还要低，如果在常温下想要实现冷凝的效果，就需要将蒸汽的压力升高到常温相应的饱和压力，这样制冷工质(制冷剂)在低温低压下蒸发,产生致冷效果,并在常温高压下冷凝,向冷却介质放热,因此,汽化制冷循环由工质汽化、蒸汽压升高、高压蒸汽液化和高压液体降压四个基本过程组成。

制冷机从低温热源吸热,向高温热源放热,同时,制冷机也消耗一定的功率,制冷机经济性能的好坏我们通常用制冷系数来衡量:

制冷系数 = 制冷量/输入净功

制冷机耗功越少,而制冷量又越多,则制冷经济性效果越好。

图 5-1 所示为蒸汽压缩式制冷系统。它由蒸发器、压缩机、冷凝器和膨胀阀四种机械和设备及管道连接而成的一个循环封闭系统。四个基本部件分别对应四个基本过程,工质在蒸发器内与被冷却介质发生热量交换,吸收被冷却介质的热量并汽化成蒸汽,压缩机不断地将产生的蒸汽从蒸发器中抽走,将其压缩后在高压下排出,此过程将消耗能量,经压缩后的高温、高压蒸汽在冷却器内被常温冷却介质(通常是空气或水)冷却,凝结成高压液体,利用膨胀阀使高压液体节流,节流后的低温低压湿蒸汽(大量液体加少量蒸汽)进入蒸发器,再次汽化,吸收被冷却介质的热量,如此周而复始。

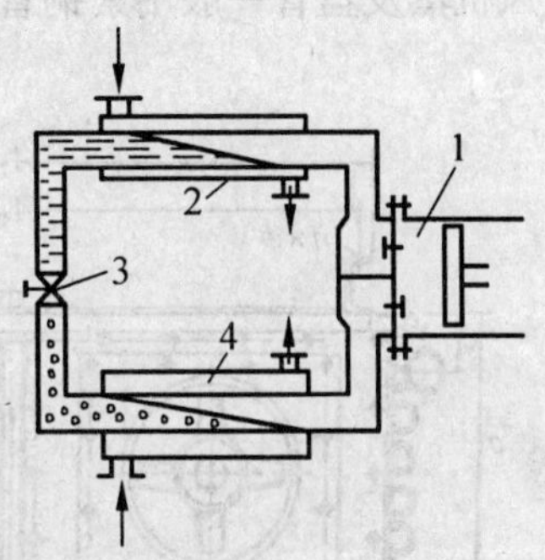

图 5-1 蒸汽压缩式制冷系统

1—压缩机;2—冷凝器;3—膨胀阀;4—蒸发器

二、基本制冷部件

(一)蒸发器

船用冷藏用蒸发器一般为干式卧式壳管式蒸发器和干式强制通风冷风机。干式卧式壳管式蒸发器为冷却液体蒸发器,干式强制通风冷风机为冷却空气蒸发器。蒸发器的传热效果好坏取决于其有效的传热面积、传热材料和传热方式。

1. 干式卧式壳管式蒸发器

干式卧式壳管式蒸发器是制冷剂在管内蒸发的卧式壳管式蒸发器,因其内液体制冷剂的充量较少,只为其内部容积的 35% ~ 40%,所以称其为干式蒸发器。如图 5-2 所示,制冷剂从蒸发器左端盖下部进入,经多程流动蒸发,产生蒸汽从左端上部引出。载冷剂从蒸发器

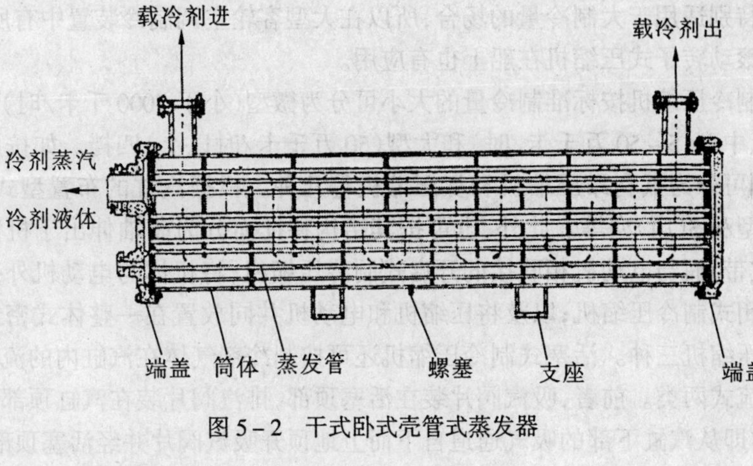

图 5-2 干式卧式壳管式蒸发器

上部左端进入，沿折流板流动，经多程冷却之后从右端上部流出。

制冷剂流出蒸发器时全部汽化完毕，状态为过热蒸汽，以便于压缩机压缩，载冷剂进出口温差约为4～6℃。

2.强制通风式冷风器

如图5－3所示，强制通风式冷风器制冷由蒸发盘管和风机组成，制冷剂在管内蒸发，空气由风机送入，在管间通过并冷却，然后散布于设定的冷却空间中，从而使设定冷却空间的温度下降，且温度场分布均匀。传热管通常采用翅片来加强传热效果，对氟利昂系统而言，冷风机蒸发盘管一般用紫铜管，外套铝翅片。

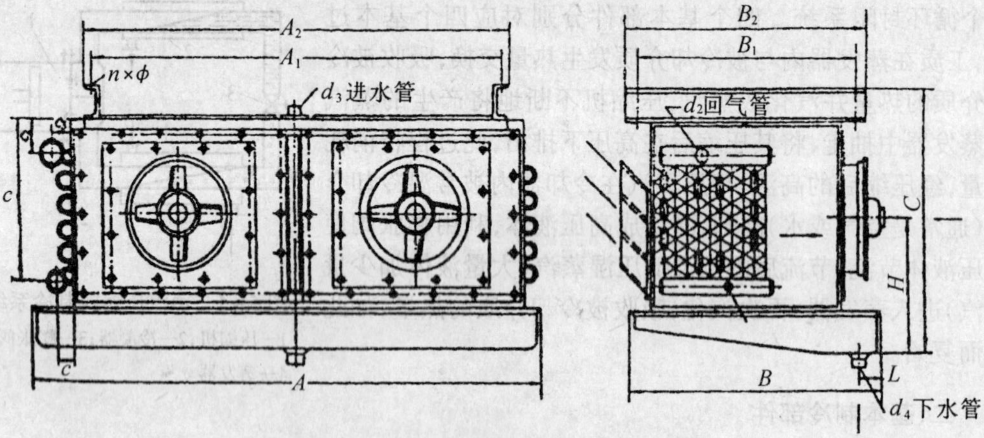

图5－3 强制通风式冷风器

(二)压缩机

船用制冷压缩机的主要型式有活塞式、螺杆式、滑片式和离心式四种。它们各有自己的特点和适用领域，其中，活塞式压缩机效率较高，制造、管理和维修经验都较成熟，但因活塞往复运动，产生惯性力，致使转速的提高受到限制，单机排气量较大时显得笨重，所以多用于中小制冷量的场合，是目前船上应用最广的一种机型。螺杆式压缩机体积小、质量轻、易损件少，且可在10%～100%的范围内实现能量调节，在制冷量为50～200万千卡/时的场合采用较多，目前在船用制冷装置中，螺杆式的应用也已日趋增多。离心式压缩机运转平稳可靠，振动小，特别适用于大制冷量的场合，所以在大型客轮空调制冷装置中有所采用。此外，滑片式以及滚动转子式压缩机在船上也有应用。

活塞式制冷压缩机按标准制冷量的大小可分为微型(小于5000千卡/时)、小型(0.5～5万千卡/时)、中型(5～50万千卡/时)和大型(50万千卡/时以上)四挡。如按所用制冷剂品种的不同，则可分为氟利昂压缩机和氨压缩机等几种。根据汽缸的布置型式，可分为直列型、V型、W型和S(扇)型等。此外，也可按其结构特征而分为曲轴伸出于机体之外并通过联轴器(或皮带)而与电动机相联接的开启式制冷压缩机；将机体与电动机外壳联成一密封机壳的半封闭式制冷压缩机；以及将压缩机和电动机共同放置在一整体式密封机壳内的全封闭式制冷压缩机三种。活塞式制冷压缩机还可按制冷剂气体在汽缸内的流动方式而分为顺流式和逆流式两类。前者，吸汽阀片装在活塞顶部，排汽阀片装在汽缸顶部，所以，当活塞下行时，气体即从汽缸下部的吸气通道自下而上地顶开吸汽阀片并经活塞顶部进入汽缸；而当活塞上行时,缸内气体由于受压,又会同样按自下而上的流动方向顶开排汽阀片,从汽缸顶部排出,所以称为顺流式。顺流式压缩机因活塞的尺寸和质量都大,不适应高转速的要求,现已不再生产。逆流式因吸排汽阀片均安装在汽缸顶部,所以吸气时气体自上而下进入汽缸,而排气时则由活塞将气体从下向上挤出汽缸。由于吸气与排气时的气体流动方向相反,所以称为逆流式。现代船用活塞式制冷压缩机均属这种型式。

图 5-4 为一小型活塞式压缩机。它的两个汽缸布置成 V 型,曲轴由电动机直接驱动。当曲轴回转时,活塞在连杆的带动下在汽缸内作上下往复运动,并在缸头中的环状吸汽阀片和排汽阀片的配合下,将制冷剂气体吸入、压缩和排出。

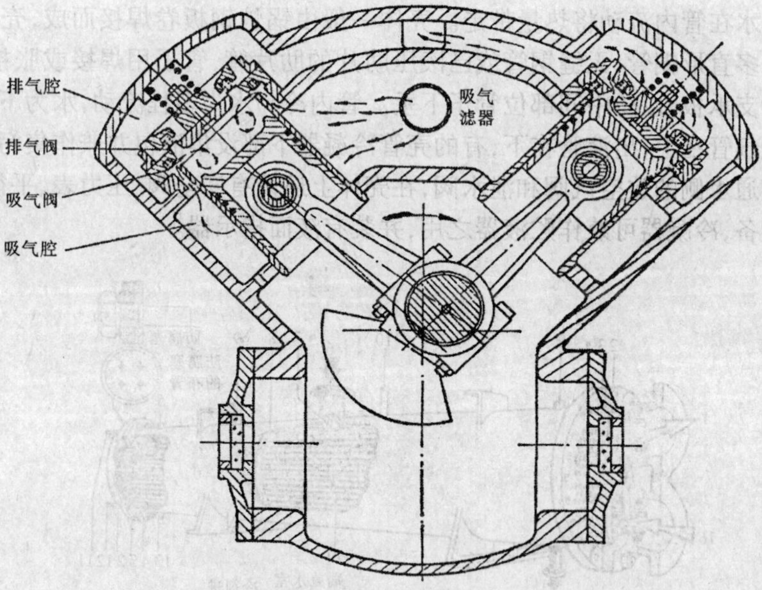

图 5-4　活塞式压缩机

在活塞向下移动之初,活塞顶部的汽缸容积逐渐增大,但因吸、排汽阀均处于关闭状态,所以,缸内的气体压力下降。当气体压力降到低于吸气腔中的压力时,气体就会顶开吸汽阀片进入汽缸(图中左侧汽缸),直到活塞移动到下死点时,气体停止进入,“吸气过程”结束,当活塞从下死点向上移动时,汽缸容积开始缩小,缸内气体压力上升,吸汽阀片随即关闭,但排汽阀并不立即开启。直到缸内压力超过排气腔中的气体压力时,排汽阀片才被顶开,于是缸内压力不再升高,“压缩过程”即告结束。接着,缸内气体即被活塞挤入排气腔中,开始“排气过程”,如图中右侧汽缸所示。显然,排气过程将一直延续到活塞抵达上死点时为止。当活塞再次从上死点向下移动时,排汽阀片随即关闭。此时,由于吸、排汽阀又都处于关闭状态,所以残留在汽缸顶部余隙容积中的气体就会膨胀降压,开始“膨胀过程”,直至缸内压力降到低于吸气腔中的压力时,吸汽阀片又被顶开,于是膨胀过程结束,而下一个吸气过程又重新开始。

由此可见,活塞在缸内每往复运动一次,就会依次完成膨胀、吸气、压缩和排气四个工作过程,从而也就由蒸发器向冷凝器相应地输送了一份制冷剂气体。

(三)冷凝器

冷凝器是将压缩机压缩来的高温高压制冷剂蒸汽冷却、冷凝为液态制冷剂。冷剂蒸汽在冷凝器中所放出的热量,即制冷装置工况稳定时冷凝器的热负荷,为制冷剂在冷库或冷舱中的吸热量与冷剂在压缩机中压缩时所获热量的代数和。

按所用冷却介质不同,冷凝器可分为空气冷却式、水冷式及水-空气冷却式三种基本型式。作为船用的冷凝器来说,目前不论是以氟利昂还是以氨作为制冷剂,几乎都采用卧式壳管式水冷式冷凝器,而空气冷却式冷凝器,使用于船舶中某些特殊场合。

图5-5为卧式壳管式水冷式冷凝器。它主要由锅炉钢板(或比锅炉钢板材质更好的材料)卷制而成的圆筒形外壳、冷却管束(氨用钢管,氟利昂用铝黄铜管或铜镍合金管,各冷却水管用焊接或扩接的方法与管板相接)以及端盖等组成。在其冷凝器中,制冷剂在管外冷却、冷凝,冷却水在管内流动将热量带走。壳体一般由锅炉钢板卷焊接而成,壳体两端的管板之间排列许多直形铜管、无缝钢管或已滚压肋片的肋片管,管子用焊接或胀接在管板上。壳体内设有管支承板,以防中间部位管子下垂。管内冷却水为多程流动,水为下进上出。壳管冷凝器的进气管在上,出液管在下,有的壳管冷凝器下部设集液包并兼作集污之用。在端盖的上下装有通水侧的放空汽阀和泄水阀,在壳体上还设有安全阀、压力表、平衡管接头等。有时为简化设备,冷凝器可兼作贮液器之用,并装有液面指示器。

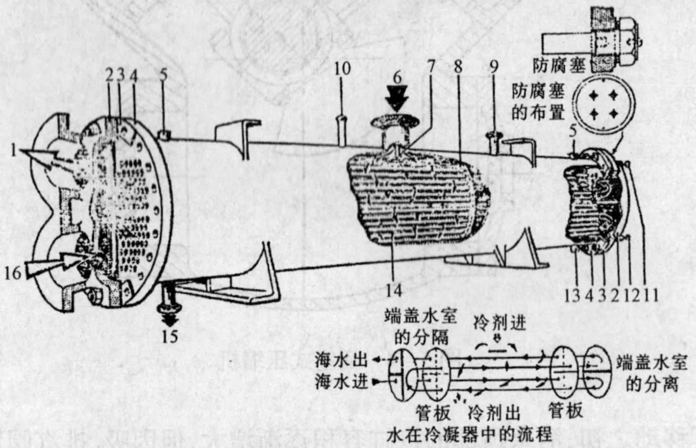

图5-5 卧式壳管式水冷式冷凝器

1—海水出口;2—端盖;3—垫片;4—管板;5—放空汽阀接头;6—气态制冷剂进口;7—挡气板;8—管架;9—平衡管接头;10—安全阀接头;11—水室放气旋塞;12—水室泄水旋塞;13—泄放阀接头;14—冷却管;15—海水入口;16—放水旋塞接口

(四)节流阀

从冷凝器出来的冷却液在冷凝压力下想要汽化必须要有更高的温度,而要在低温条件下实现汽化,则必须使用节流阀将工质液体压力降到一定程度,节流阀节流之后液体的熔值不变,温度和压力均大幅下降,少部分液体汽化。因此在制冷系统中的电磁阀之后,蒸发器进口之前的管路上安装一个节流阀,节流阀亦称热力膨胀阀,它在对工质节流降压的同时,还可以在蒸发器负荷变化时,自动调节制冷剂液体的流量,以控制蒸发器出口工质的过热度。热力膨胀阀按感温元件不同而分为热力式膨胀阀和热电式膨胀阀两种,前者感温元件是感温包,后者是热敏电阻或类似的热电元件。热力式膨胀阀按感压元件的平衡方式分为内平衡式和外平衡式。内部平衡式热力膨胀阀是使阀后的蒸发压力通过阀体内部的顶杆间隙直接作用在膜片的下方，如果将蒸发器出口处的制冷剂蒸汽压力用外部平衡管连通至膜片的下方，则称为外部平衡式热力膨胀阀。

图 5-6 所示为内平衡式热力膨胀阀结构简图。该阀由感温包 1、传压管 2、膜片 3、阀体 7、锥形节流阀 6 和调节弹簧 8 等组成。锥形节流阀 6 的启闭是由膜片上下腔室的压差控制。膜片 3 上腔的压力 P1，相当蒸发器出口处气态制冷剂的饱和蒸汽压力，方向朝下。膜片 3 下腔作用着液态制冷剂压力 P2 和弹簧张力 F，两者方向朝上。因此在上述各力的作用下，经过顶杆 4，自动改变锥阀 6 节流口的开度，从而实现降压和控制进入蒸发器的制冷剂流量。

内平衡式热力膨胀阀中节流阀型式有两种，一种是适用于中小型制冷装置的锥形阀，另一种是适用于大型制冷装置的板形阀。

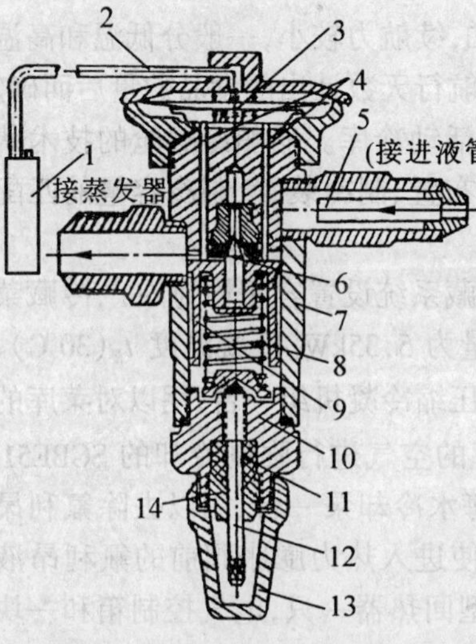

图 5-6　内平衡式热力膨胀阀结构简图

1—感温包；2—传压管；3—膜片；4—顶杆；5—滤网；
6—锥形节流阀；7—膨胀阀体；8—弹簧；
9—弹簧导座；10—端盖；11—填料；12—调节杆；
13—阀帽；14—填料压盖

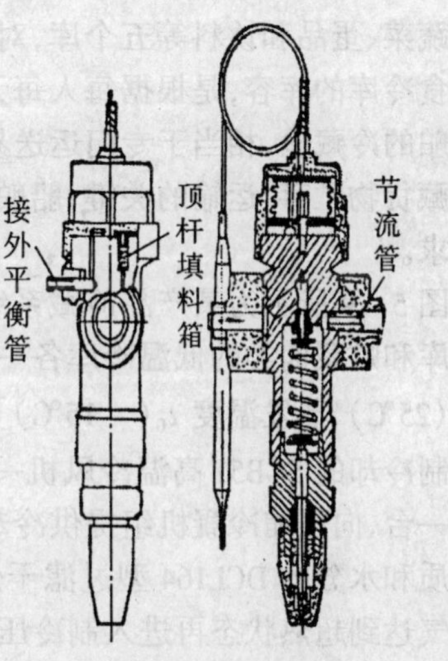

图 5-7　外平衡式热力膨胀阀结构简图

图 5-7 为外平衡式热力膨胀阀结构简图，它与内平衡式热力膨胀阀结构基本相同。该阀有一条外部连接管，将膜片下部空间与蒸发器出口相连，膨胀阀工作时不再是蒸发器进口压力，而是出口压力，膨胀阀所提供的过热度与蒸发器出口处的饱和温度相对应，膜片下腔室与蒸发器入口隔绝，膜片的动作通过密封片传递给针阀，其动作原理与内平衡式相似。内部平衡式热力膨胀阀只适用于蒸发器内部阻力很小的场合，当蒸发器内部阻力较大时，就需使用外部平衡式。如图 5-8 所示的外平衡式热力膨胀阀的工作系统中，蒸发器入口压力为 0.165MPa(表压)；入口处蒸发温度为 -4.44℃，制冷剂经过蒸发器的压力降是 0.69×10^5Pa(表压)；出口压力为 0.96×10^5Pa(表压)，饱和温度为 -12.8℃。设蒸汽

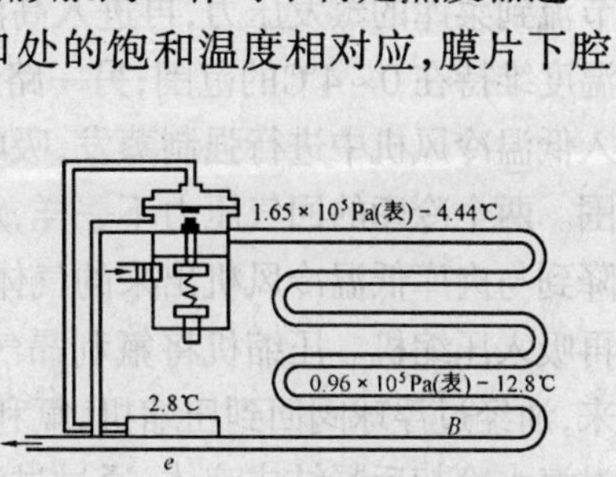

图 5-8　外平衡式热力膨胀阀的工作系统

离开蒸发器的过热度为10℃,则过热蒸汽温度为-2.8℃。如果采用内平衡式热力膨胀阀,则蒸发器出口温度约为3.6℃,实际蒸发器出口处蒸汽过热度为16.4℃,可见蒸发器没有得到充分利用。

第二节 船舶制冷系统实例

船舶制冷系统,即船舶冷藏系统。包括船舶饮食冷库以及运输冷藏货物的冷藏舱,它是由制冷设备、冷藏舱、各种控制阀及管路所组成的完整系统。一般船舶,为满足船员生活之需,只设置饮食冷库。饮食冷库通常设在厨房附近,并尽可能远离机、炉舱,以减少热量的渗入。饮食冷库中,对不同的食品,因其冷藏的温度不同而采用分库保存。大中型海船大多分鱼、肉、蔬菜、蛋品和饮料等五个库,对沿海或内河船舶,续航力较小,一般分低温和高温两个库。饮食冷库的库容,是根据每人每天的配膳标准和航行天数计出的食品贮量后而确定。

船舶的冷藏舱,相当于专门运送易腐食品的水上活动冷库。船舶冷藏舱的技术状态是船舶冷藏货物贮存、运输的关键,船舶冷藏舱的结构、布置、制冷装置、制冷容量的匹配均有一定要求。

如图5-9所示为某产品冷藏系统原理图。该冷藏系统设置容积均为6m^3,冷藏菜类的高温冷库和贮藏肉类的低温冷库各一个。包括制冷量为5.35kW[冷凝温度 t_k(30℃)、吸气温度 t_0(25℃)、蒸发温度 t_0(-15℃)]的2EL-3.2型压缩冷凝机组一台,用以对菜库的空气进行强制冷却的SGB51高温冷风机一台、用以对肉库的空气进行强制冷却的SGBE51低温冷风机一台、向压缩冷凝机组提供冷却水Lwz-3型海水冷却泵一台、用以去除氟利昂系统内的杂质和水分的DCL164型过滤干燥器一只,用来使进入热力膨胀阀前的氟利昂液体过冷及回气达到超热状态再进入制冷压缩机的HE1.5型回热器一只,电气控制箱和一块控制元件板及管路、阀件等。控制元件板上装有高低温冷库温度控制器、高低温冷库压力温度计和冷却水压力表,两个库的热力膨胀阀、电磁阀和手动膨胀阀等。

一、冷藏系统工作原理

如图5-9所示,某产品冷藏系统的冷凝贮液器中的液体氟利昂(R-22)在压力作用下,经过过滤干燥器进入回热器,在回热器中氟利昂液体与来自高低温冷风机的氟利昂气体进行热交换,使液体氟利昂过冷,然后进入自控元件板分成二路。一路进入菜库热力膨胀阀,经该阀节流到菜库的蒸发压力,再进入高温冷风机中进行强制蒸发,吸收菜库空气中的热量,使菜库温度维持在0~4℃的范围;另一路进入肉库热力膨胀阀,经该阀节流到肉库的蒸发压力,再进入低温冷风机中进行强制蒸发,吸收肉库空气中的热量,使肉库温度维持在-10~-14℃的范围。两个冷库的回气压力不一样,从菜库高温冷风机出来的气体需经过蒸汽压力调节阀,使其降到与肉库低温冷风机出来的气体压力一致,然后进入回热器,使气体氟利昂达到超热状态,再吸入压缩机。压缩机将氟利昂气体压缩到冷凝压力,经过油分离器,将气体中的油分离出来,油经过浮球阀回到压缩机,氟利昂气体则进入冷凝贮液器。在冷凝贮液器中氟利昂气体经过海水冷却后凝结成液体,通过过滤干燥器干燥后再进入回热器,重复循环。在冷凝贮液器中氟利昂气体由冷却海水泵从舷外经过舷侧阀和海水滤器压入的海水冷却,海水与氟利昂气体进行热交换后带走热量,再经过排出舷侧阀把海水排至舷外。

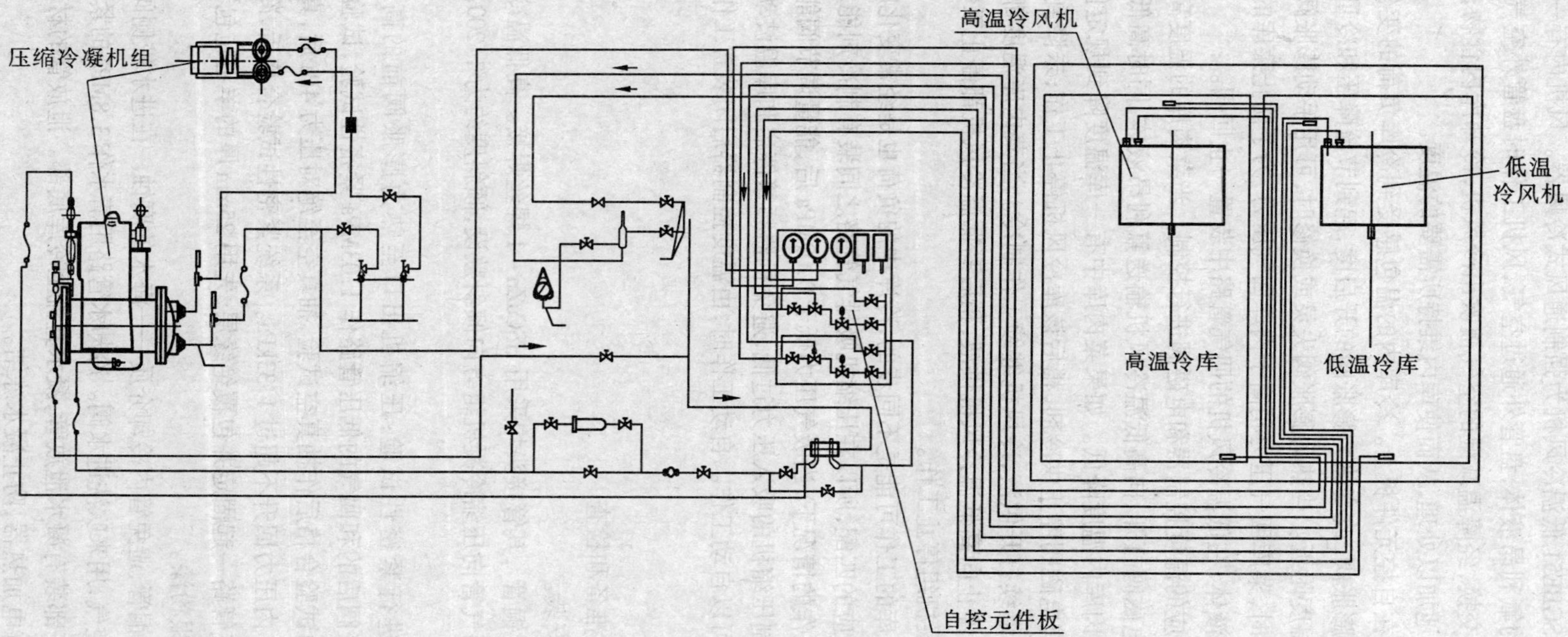

图5－9　某产品冷藏系统原理图

SGB51 高温冷风机和 SGBE51 低温冷风机为强制通风式冷风器。风机内有一套片盘管组,盘管内通过低温低压的氟利昂液体,盘管外通过空气,风机工作时盘管外空气与管内蒸发的氟利昂冷剂进行热湿交换,经降温减湿的空气被吹出冷风机,冷却库内食物,库内空气不断地被冷风机周而复始地加以处理,从而使库内维持所需要的温度。

热力膨胀阀立式安装在自控元件板上。冷库内的温包感受到冷库负荷的变化,将其热力通过毛细管传递给热力膨胀阀,改变热力膨胀阀的开启度,起到节流降压和冷量调节的效果,使库温保持在给定的温度附近。当热力膨胀阀失灵或换修时,可用手动膨胀阀代替。当肉库低温冷风机停止工作时,菜库回气压力稍高于肉库回气压力,为了防止菜库的氟利昂回气窜到随冷风机中冷凝成液体,在低温冷风机的回气管路中装置一止回阀。

菜肉库的温度通过相应的温度控制器和电磁阀进行控制。当菜肉库的温度高于规定值时,温度控制器使相应的电磁阀打开,向高低温冷风机输送氟利昂液体,同时高低温冷风机工作,强制蒸发冷剂,使菜肉库内温度降低。如果菜肉库中有一库温度降到规定值,则该库温度控制器动作,关闭相应电磁阀停止供冷剂,稍后该库冷风机停止工作;未降到规定库温的另一冷库相应的电磁阀继续打开供液,冷风机继续工作制冷。当菜肉库温度都降到期定值时,相应电磁阀部关闭,停止向高低温冷风机供液,稍后高低温冷风机都停止工作,海水冷却泵也同时停机,压缩冷凝机组停止工作。

压缩冷凝机组对菜肉库的工作可能是不同步的,冷库中的负荷也是经常变化的,因此要求压缩机的制冷量也作相应的匹配,所以在压缩机吸排气管路之间装有制冷剂能量调节阀。在只有肉库低温冷风机工作的情况下,当吸气压力低于 0.09MPa 后,能量调节阀能自动控制压缩机的排气量,从而限制压缩机的吸入压力过低,避免机器频繁停启和库温波动。压缩冷凝机组可以手动操作,也可以自动工作。自动工作时,由温度控制器启闭装置工作。

二、冷藏系统操作

1.冷藏系统启动前的准备和检查

(1)系统管路和附件安装。

①氟利昂管路采用紫铜管,其管接头均采用 HSCuZn-1 焊丝焊接。高低温冷风机至压缩冷凝机组吸入口间的回气管向压缩冷凝机组方向倾斜敷设,倾斜度约为 1:200,以保证回气管有一定的带油速度。

氟利昂管路用氮气进行紧密性试验:压缩机出口至热力膨胀阀前的高压管路作 1.96MPa紧密性试验,膨胀阀后的和回气的低压管路作 1.03MPa 紧密性试验,试验持续 24h,不允许有压力损失。压力试验合格后作抽真空试验,抽真空至绝对压力 4Pa 后,真空泵继续工作 1~2h,并在随后 12h 内压力回升不超过 1.33kPa。系统紧密性试验合格后,冷藏舱外部的氟利昂输液管路和回气管路一起固定并包覆绝缘层,先用 25mm 厚的羊毛毡包覆,再用白细布包扎缝线,最后漆以银粉漆。

②冷却水管路应为紫铜管,避免管内冷却介质——海水的腐蚀。在进水舷侧阀附近的管路上有一支管,接至中压空气,用来吹洗进水阀。冷却水管路用清水作 3.8MPa 的紧密性试验。

③高低温冷风机的底部装有凝水泄放管,凝水直流至冷库底部。泄放管的材料为钢管。低温冷库的泄放管路装有电加热器,防止凝水冻结。

(2)检查压缩机曲轴箱内的油位高度,油位应在油面观察孔中心线一半位置以上。

(3)打开压缩机的排汽阀,关闭压缩机的吸汽阀。

(4)开启安全阀前的截止阀。

(5)检查加氟的截止阀是否关闭严密。

(6)打开过滤干燥器两端的截止阀,关闭旁通管路上的截止阀。

(7)开启排气管路中的其他截止阀。

(8)关闭手动膨胀阀。

(9)打开冷却水管路舷侧通海阀和第二道截止阀。

(10)接通电源,检查电源电压。

(11)当压缩机排气温度大于110℃时,操作者需关闭回热器液体管路的阀门,打开回热器液体旁通管路的阀门。

(12)压缩机长期停用后,如果在环境温度低的情况下重新工作,则启动前应对曲轴箱的润滑油手动加热,以免压缩机启动困难或造成大量奔油和液冲。

2.运行使用程序

(1)将开关放在"手动"挡,依次按下水泵、压缩机、高、低温冷风机开关,则水泵、压缩机、高低温冷风机相继投入运转。检查压缩机运转情况,油压变化及水泵供水情况是否正常。压缩机与水泵工作相互连锁,水泵不运转,压缩机无法启动,因此操作时必须先启动水泵,通过一定的延时再启动压缩机。

(2)压缩机运转后,缓慢开启吸汽阀,以防出现液冲现象。然后逐渐开大阀门,直至压缩机正常运行。

(3)将开关放在"自动"挡,可能出现三种情况,即低温冷风机连续工作,高温冷风机停机和启动;高温冷风机连续工作,低温冷风机停机和启动;高低温冷风机都工作和都停机。自动工作过程如下。

①当菜、肉库温度都未达到规定值时,水泵、压缩机、高低温冷风机相继投入运行。当菜库温度达0℃时,菜库温度控制器工作,菜库停止供液,高温冷风机延时几秒后停机。当菜库温度上升到4℃时,菜库恢复供液,高温冷风机投入运转。

②当高低温冷风机同时工作一段时间后,肉库温度降至-14℃,此时肉库温度控制器工作,肉库停止供液,低温冷风机延时几秒后停机。当肉库温度上升至-10℃时,肉库恢复供液,低温冷风机投入运转。

③当高低温冷风机同时工作一段时间后,菜肉库温度相继降到规定温度,则菜肉库温度控制器作,菜肉库停止供液,高低温冷风机延时几秒后停机,压缩机、水泵同时停机,系统停止工作。当其中一库温度首先上升到规定值时,相应的温度控制器工作,首先水泵启动运行30s,随后压缩机、相应的冷风机启动运行,系统投入工作。

3.运行中的监视和调整

(1)运行过程中须对下列仪表经常观察。

①观察高低温库压力温度计。若到达规定的温度,温度控制器不起作用,应对其进行调整,使其在规定的温度范围内起释放作用。

②吸气压力为0.06±0.01MPa时,低压控制器动作,压缩机、高低温冷风机、水泵相继停机。吸气压力大于0.17±0.01MPa时,低压控制器自动复位,系统投入工作。

③排气压力升高达1.67±0.03MPa时,高压控制器动作,并发出声光报警信号,系统停止工作。等排除故障经手动复位后,系统继续投入工作。

④当吸气压力下降(<0.09±0.01MPa)时,能量调节阀能自动工作控制压缩机的气体

排量。当吸气压力高于0.16±0.01MPa时，电磁阀关闭，能量调节阀停止工作。若此种情况下机器停启频繁，库温波动，应对能量调节阀进行调整，使其达到能量调节的目的。

⑤注意观察菜库回气管路上的压力表，该路蒸发压力应略高于肉库的蒸发压力(近似为压缩机的吸气压力)，若差值较大，应调节蒸发压力调节阀。

(2)注意倾听运转机械的声音。机械正常运转中不应有敲击声和其他异常声音，如有发现，应及时排除。

(3)检查压缩机轴封、氟利昂管路和冷却水管路是否有泄漏现象。

(4)注意检查制冷部件及氟利昂管路是否堵塞，特别是过滤干燥器和膨胀阀。用手触摸其前后温差，或观其前后凝露和结霜等方法判别。

(5)压缩机排气温度应不超过140℃。

(6)曲轴箱油温应不超过85℃，曲轴箱油位不低于观察孔的一半。

(7)水泵供水正常。

(8)观察各电气设备的工作情况，是否在需要的范围里断开或闭合。

4.停机操作程序

(1)关闭冷凝贮液器出液管路截止阀。

(2)高低温冷风机均停止工作。

(3)压缩机停止工作。

(4)冷却水泵停止工作。

(5)关闭冷却水舷侧阀和第二道截止阀。

(6)断开电源。

三、冷藏系统常见故障分析与排除

1. 排出压力过高

(1)排出压力过高故障原因是：	(2)故障的排除方法：
①系统中有大量空气等不凝性气体；	①将空气从系统中排除；
②冷凝器冷却水阀门未开；	②打开相应的阀门；
③进入冷凝器的水温过高或水量不足；	③采用相应的措施，增加供水量；
④冷凝器水管被污垢阻塞；	④清洗冷凝器水管；
⑤制冷剂充量太多，使冷凝器管子被液态冷剂浸没过多，造成冷凝器换热面积减少；	⑤将系统中的制冷剂取出一部分，充进钢瓶；
⑥有关排气管路的阀门未开足，或冷凝器进口开得过小。	⑥开足有关阀门。

2.排出压力过低

(1)排出压力过低故障原因是：	(2)故障的排除方法：
①冷却水温太低，或水量过大；	①采取相应的措施，调节水量；
②压缩机排出阀及管路有严重漏泄；	②换排汽阀片及管路检漏；
③制冷剂不足。	③补足制冷剂。

3.吸入压力过高

(1)吸入压力过高故障原因是:

①膨胀阀开启过大;

②膨胀阀本身有毛病,或感温包安装时没有箍紧,贴在冷风机出口管缝;

③制冷剂过多;

④热负荷过大;

⑤吸汽阀片断裂或泄漏;

⑥高低压腔间的垫片打穿;

⑦压缩机转速太慢(因电压低);

⑧制冷剂能量调节阀开启过大。

(2)故障的排除方法:

①适当调节膨胀阀;

②调换膨胀阀,并正确安装感温包;

③回收部分制冷剂充入钢瓶;

④调节负荷;

⑤换阀片;

⑥换垫片等;

⑦检查供电线路;

⑧适当调节制冷剂能量调节阀。

4.冷库制冷量不足、吸入压力过低

(1)故障原因是:

①膨胀阀的开度过小,滤器堵塞或节流孔冰塞,感温包漏泄;

②低压管路冰塞,或吸入阀未开足;

③液管阻塞,出液阀或液管上其他阀如电磁阀未开足,过滤器堵塞;

④制冷剂不足;

⑤循环的滑油太多;

⑥冷风机结霜太厚,传热差使热力膨胀阀关小。

(2)故障的排除方法:

①适度开大膨胀阀,解冻,更换干燥器中的硅胶,更换感温包;

②适度开大吸入阀;

③将出液阀开足,清洗过滤器;

④添加制冷剂

⑤检修分油器的回油系统,使回油恢复正常,如放出多余滑油;

⑥对冷风机进行融霜。

5.压缩机有杂音

(1)故障原因是:

①汽缸部分可能存在

a.余隙太小,活塞撞击阀板;

b.连杆小头 RI 磨损而间隙过大;

c.阀片断裂进入汽缸;

d.滑油过多而产生液击;

e.液态制冷剂大量被吸入造成液击。

②曲轴箱内可能存在:

a.连杆大头轴承,或主轴承因磨损间隙过大;

b.连杆螺栓螺母松脱。

(2)故障的排除方法:

①对汽缸部分可采取

a.调整余隙;

b.调整修复间隙;

c.打开汽缸盖,检查并取出碎片调换阀片等;

d.放出多余滑油;

e.放出多余制冷剂。

②对曲轴箱可采取:

a.拆开压缩机,调整间隙;

b.拆开压缩机旋紧螺母。

③电动机部分可能存在：	③对电动机可采取：
a.电源未接通，保险丝烧坏或电压低；	a.使电路畅通或电路断线；
b.电动机功率不够，过载或发生故障。	b.检修电动机。
④压缩机的底脚螺钉松动。	④固紧各底脚螺钉。

6.压缩机不能启动或启动后立即停止

(1)故障原因是：	(2)故障的排除方法：
①压缩机卡住，咬死造成过载；	①检查卡住原因，并排除；
②压缩机的吸排气截止阀、冷却水阀、出液阀或管路上其他截止阀未开，高压控制器动作而停车；	②打开有关的阀；
③电磁阀故障，不能开启，低压控制器动作而停车；	③调换电磁阀；
④高低压控制器调节不当或高压控制未复位；	④调节高低压控制器，或使高压控制器复位；
⑤温度控制器调节不当，或出现故障，不能接通电磁阀电路。	⑤调节温度控制。

7.冷风机制冷效果差或融霜时间过长

(1)故障原因是：	(2)故障的排除方法：
①风机电机电源未接通，保险丝烧坏或电路断线；	①使电路畅通；
②电压过低，风机转速慢；	②检查供电线路；
③电机功率不够或发生故障；	③检修电动机；
④供氟液量不够；	④开大膨胀阀，增加供氟液量；
⑤结霜霜层太厚；	⑤停止制冷，进行电融霜；
⑥融霜电加热损坏，造成无法融霜。	⑥调换电加热棒。

第三节　船舶空气调节系统原理

船舶空调的主要内容就是对船员和旅客的住舱、公用舱室（餐厅、休息室、会议室等）以及位于上层建筑部分的工作舱室（驾驶台、海图室、报务室等）进行空气调节。所谓空气调节，就是对空气进行必要的处理，然后以适当的方式送入舱室，使室内的空气在温度、湿度、气流速度、洁净度和新鲜度等方面都能符合要求。船舶空调可分为独立式和集中式两大类。在船上，只有某些特殊的空调舱室才使用独立式空调系统，一般均采用集中式空气空调系统，即直接使用制冷系统的蒸发器直接处理空气，然后将处理过的空气送到房间的空调方式，空调系统中对空气的处理集中在空气混合段进行。

一、集中式空气空调系统分类及基本原理

空气调节系统一般均由被调对象、空气处理设备、空气输送设备和空气分配设备所组成。空气调节系统按调节方式不同，集中式空气空调系统可分类为单风管集中式空调系统和双风管集中式空调系统。单风管集中式空调系统包括单纯的单风管集中式空调系统、单风管集中——分区处理空调系统、单风管集中——末端再加热式空调系统和单风管集中——末端再加热和再冷却空调系统。

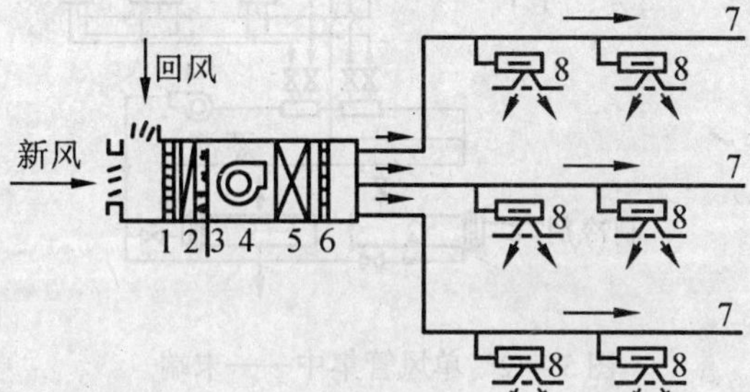

图 5－10　单纯的单风管集中式空调系统

1—滤器；2—加热器；3—加湿器；4—风机；5—冷却器；6—挡水器；7—风管；8—布风器

图 5－10 为单纯的单风管集中式空调系统示意图。它对空气处理的全部过程在集中式空调器中完成，而且对各舱室的供风温差相同，对舱室个别调节，通过改变布风器风门的开度，改变风量来实现。这种系统简单，在货船上用得较多，因使用变量调节，故调节幅度小，不能始终保证舱室新风供给量，而且个别舱室调节也容易影响其他舱室供风量。

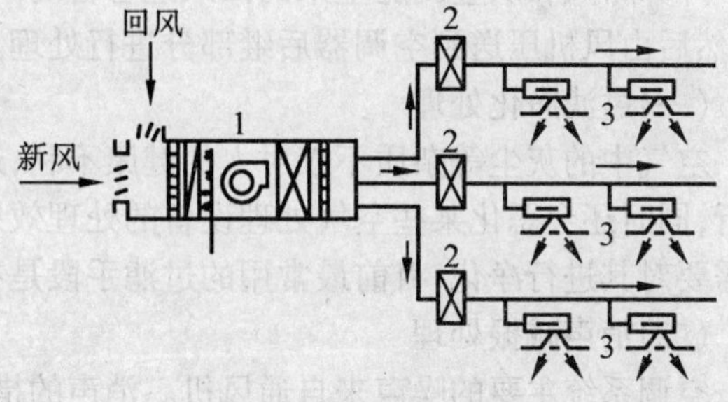

图 5－11　单风管集中——分区处理空调系统

1—空调器；2—分区热交换器；3—布风器

图 5－11 为单风管集中——分区处理空调系统示意图。该系统中，几个相邻空调区的供风由同一台空气调节器处理，然后再根据各区舱室热负荷不同，由装在各分区风管上或空调分配器各隔室中的热交换器，对供风作进一步调节。这种系统对热负荷较小的空调区可减小供风温差，并不致使供风量过小，但舱室再作调节，仍是调节幅度小的变量调节。该系统适用于分区比较多的客船。

图 5－12 为单风管集中——末端再加热和再冷却空调系统示意图。该系统无论冬季或夏季均可对舱室进行个别调节。各舱室的诱导布风器装一个冬季通入热水、夏季通入冷水的热交换器，因其承担了部分负荷，使空调器的风量比单纯集中式系统减少 1/3 ~ 1/2，故一般采用全新风系统。这种空调系统集中处理温度：夏季 12 ~ 16℃，冬季 15 ~ 25℃。这样供风热损失减少，但造价高，日常维护工作量增加。

图 5－13 为双风管空调系统示意图。这种系统的集中式空调器由前后两部分组成，一部分供风经前部预处理，经中间分配室由风管引至布风器；其余供风经后部再处理后再经后分配室由风管导至布风器，工作中，向布风器同时供两种不同温度的空气，因此，只要通过调节布风器冷热两风门开度，改变冷热风混合比，就可调舱室温度。在取暖工况时，前部处理一级供风湿度控制在 15℃左右，后部处理二级供风温度一般在 29 ~ 43℃之内。降温工况

时;一级供风为进风温度加风机温升(若不装预冷器),二级供风温度为11~15℃。

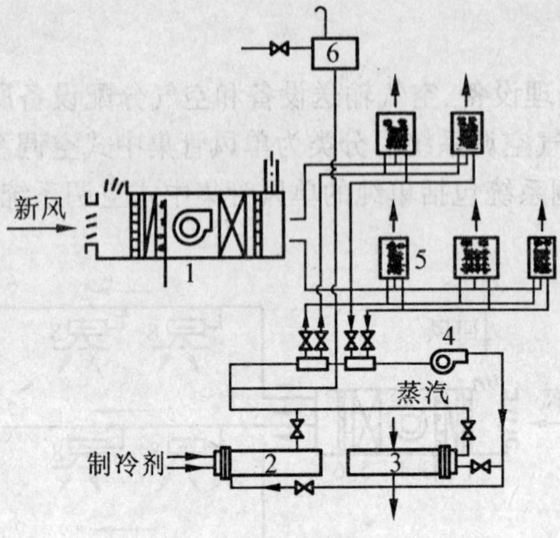

图5-12　单风管集中——末端再加热和再冷却空调系统

1—空调器;2—水冷却器;3—水加热器;4—循环水泵;5—具有末端水换热器的诱导器;6—膨胀水箱

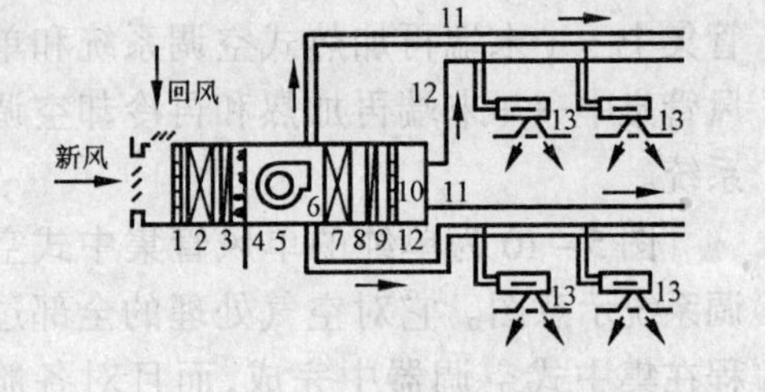

图5-13　双风管集中处理空调系统

1—滤器;2—预冷器;3—预热器;4—加湿器;5—风机;6—中间分配室;7—再冷却器;8—再加热器;9—挡水器;10—后分配室;11—预处理供风管;12—再处理供风管;13—布风器

二、集中式空调器对空气的处理

外界新风和从空调舱室来的回风经各自的调风门由集中式空调器风机吸入到进风混合室,然后由风机压送到空调器后继部分进行处理。

(一)过滤净化处理

空气中的灰尘等杂质不仅对人的健康不利,还会影响室内的清洁,妨碍生产工艺的正常进行,同时还会恶化某些空气处理设备的处理效果,因此在混合空气进入空气处理箱之前通常需要对其进行净化,目前最常用的过滤手段是在新风和回风入口处设置滤网。

(二)消声减振处理

空调系统主要的噪声来自通风机。消声的措施也主要围绕通风机进行,目前,消声器在空调装置中已经得到了广泛的应用,它的工作原理主要采用吸声材料的吸声作用,当声音入射到消声器时,声波引起吸声材料孔隙中空气及材料的细微振动,由于声波与材料之间的摩擦力和粘滞力,使声能转变成热能而被吸收,从而达到消声的效果,空调系统的振动也主要产生于运动部件,减振的方法主要是采用减振机座和连接软性接头。

(三)空调系统中几种典型的热湿处理

热湿处理是空气调节的核心,空调效果的好坏往往以它为衡量标准。

1.干式加热

使用电加热丝或蒸汽加热盘管对空气加热,以达到空气升温的效果,升温过程中,空气中的含湿量不变,相对湿度下降。

2.湿式冷却

使用冷却器(一般是空调制冷系统的蒸发器)直接冷却空气,以使空气的温度下降,但不达到空气的露点状态,因此,冷却过程中空气中的含湿量仍保持不变,相对湿度上升。

3.等焓加湿

使用喷水器向空气中喷水雾,水雾吸收空气中的能量以达到汽化的效果,整个过程中,系统既不向外放热,也不吸收外界能量,因此,系统的能量不变,但由于气体需要释放热量以补充水雾的汽化热,所以气体的温度下降。

4.等焓减湿

利用吸湿干燥剂吸收混合气中的水蒸汽,同时,水蒸汽冷凝释放的相变热酸气体温度上升,整个过程中,系统与外界没有能量交换,因此,系统焓值不变。

5.等温加湿

向混合气中喷蒸汽,直接导致空气中含湿量的增加,由于没有达到饱和状态.因此,不存在水汽凝出,喷入的蒸汽量相对于混合空气量而言可以忽略,因此,蒸汽与混合气之间的温差传热也可以忽略,空气的温度不变而偿值增加。

6.冷却减湿

使用冷却器冷却空气;使空气温度下降,达到并超过空气的露点状态,空气中凝出部分的水分,含湿量下降。

(四)冬、夏季空调系统的热湿处理过程

1.冬季

新回风在混合段混合之后,先由空气过滤器过滤掉混合气中的灰尘和杂质,再由蒸汽加热器将空气加热到与送风状态等温的状态(一般情况下,送风状态比室内空气状态的温度高5~10℃),再由蒸汽加湿器向混合空气中喷蒸汽.在等温条件下调节混合空气中的湿度,工况变化时,空气的湿度和温度控制由蒸汽流量控制阀调节蒸汽的开度来完成。

2.夏季

室外新风和室内回风进入混合段混合之后,先由空气过滤器过滤掉空气中夹杂的灰尘和杂质,再流经冷却器(即空调制冷系统蒸发器)使空气降温到露点以下,凝结出部分水分,以达到送风状态的露点状态,然后利用蒸汽加热器对此时的饱和空气进行加热,以使之达到送风状态(一般情况下,送风状态温度比室内设计温度低5~10℃),再直接由风机将其送入房间投入使用,工况变化时,混合段对空气湿度的调节控制由蒸汽流量调节阀控制,当处理后的空气含湿量过低,则阀开度加大,反之阀开度减小。

三、空调系统的测定与调整

(一)风量的测定与调整

1.测定方法

风机启动前各风道,风口调节阀门全开,三通阀置于中间位置,系统总风量一般在风管内测定,测定处断面处于气流均匀而稳定的直管段,一般要求按气流方向,在局部构件之后4~5D(或长边a)或局部构件之前1.5~2D,由于测定断面各处风速不完全相等,因此不能只以一个点的数值代表整个断面,断面测点数应多于一个,测点数越多,测量越精确,测点的位置及数目,取决于断面的形状,尺寸及测量要求的精度,一般采用等面积布点法,测定出断面的平均风速及断面面积即可得到风量。

2.调整

(1)如果测定风量过大,则可能是系统阻力偏小或风机有问题,降低送风量可以调节风机阀门以增加阻力或降低风机转速。

(2)如果测定风量过小,则可能是系统阻力过大,漏风或风机有问题,检查风道有无堵塞,密封法兰、人孔及检查门是否明显漏风,调紧传动皮带。

(二)设备容量及系统工况的测定与调整

1.测定目的

检查处理设备最大容量,挡水板过水量,风机、风道温升是否符合设计指标;检查处理后的送风状态是否能达到要求。

2.测定方法

处理设备按夏季设计工况投入运行,冷却装置按最大容量运行,调整一次混合比,检查最大容量是否满足设计要求;加热器按最大容量运行,根据热媒参数及空气经加热器前后温度计算最大容量是否满足设计要求,系统运行稳定后,测定从新风到送风状态的全过程的各点状态。

3.可能出现的问题及调整的方法

(1)设备容量过大:调节风机转速,调风门开度以减小流量。

(2)设备容量过小:检查管道保温情况,管道有无堵塞、泄漏等故障,风机性能情况,如以上均无故障,则应增设或更换设备。

(3)挡水板过水量偏大:检查并改善挡水板或滴水盘的安装,降低空气流速。

(4)风机、风道温升过大:降低系统阻力,改进风道的保温质量。

(5)如果以上的问题均不存在,但仍达不到设计的送风状态;则有可能是系统负压段有渗漏或系统中存在意外的加热、加湿现象,这些不利于空调效果的现象应及时消除。

第四节　船舶空气调节系统实例

图5-14为某船舶产品空气调节系统示意图。该产品的全船空气调节分区实现,即将全船划分为三个空调分区:Ⅰ舱Ⅱ舱上层为空调Ⅰ区,Ⅱ舱下层、Ⅱ舱上层的声纳室、Ⅲ舱、Ⅳ舱为空调Ⅱ区,Ⅴ舱、Ⅵ舱、Ⅶ舱为空调Ⅲ区。三个空调分区的空调系统相对独立、基本组成和技术与结构特征相同。每一个空调分区都配置有一个完整的集中闭式循环空调系统,独自配备一套制冷装置、一台低压离心风机和一台直接蒸发式空气冷却器。每一个分区空调系统工作时使用该分区的空调风机,并利用通风系统的风管将制冷系统冷却和干燥过的空气送往住舱和各工作部位。分区空调时用Ⅱ舱通风总管上的密封调风门隔断空调Ⅰ区和空调Ⅱ区,用隔壁通风蝶阀隔断空调Ⅱ区和空调Ⅲ区。

一、空气调节系统组成与工作原理

该船舶产品的每一个分区空调系统都包括制冷分系统和送风风管分系统两个部分,两个分系统之间通过空气冷却器连接起来。空气冷却器即蒸发器,它是一种用来处理空气的直接蒸发式冷却盘管。由制冷系统来的液态冷剂在盘管内蒸发吸热,盘管外的空气得到冷却和干燥。送风风管系统即用来实现处理后空气的输送和分配。借助空调风机,将各舱室高温高湿空气沿抽风管路抽出,经过空气冷却器放出空气中的热量和多余水分,沿输入管路下各舱室,从而改善船舱内的工作和生活环境。

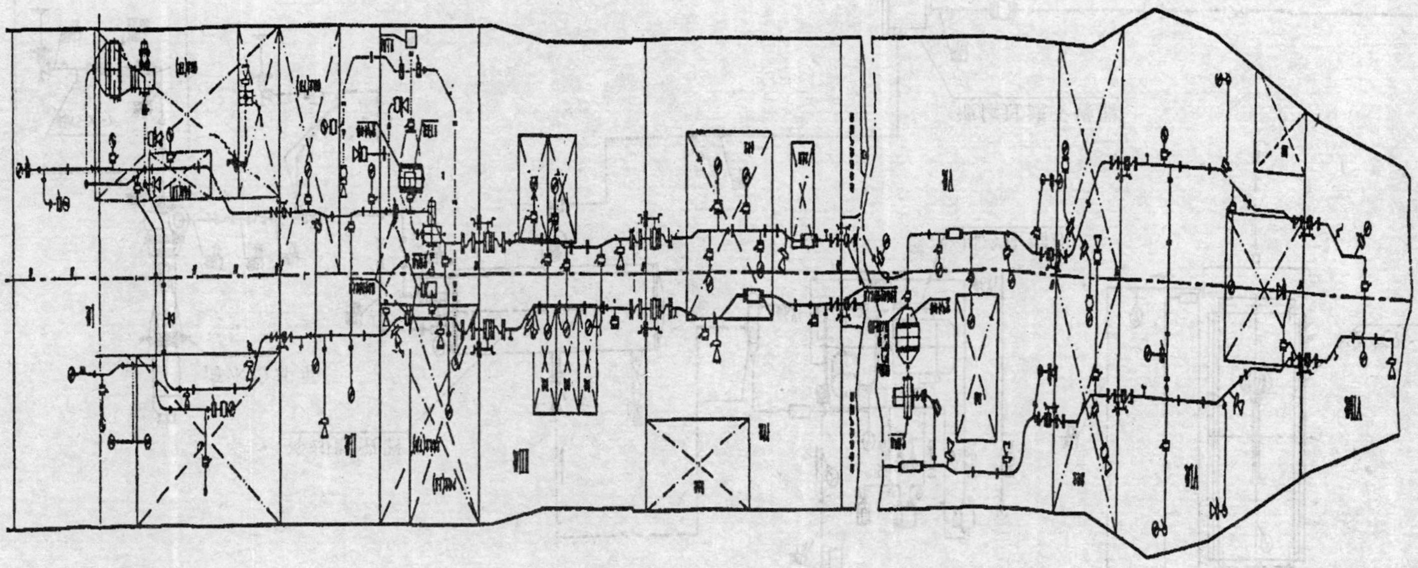

图5-14　某船舶产品空气调节系统示意图

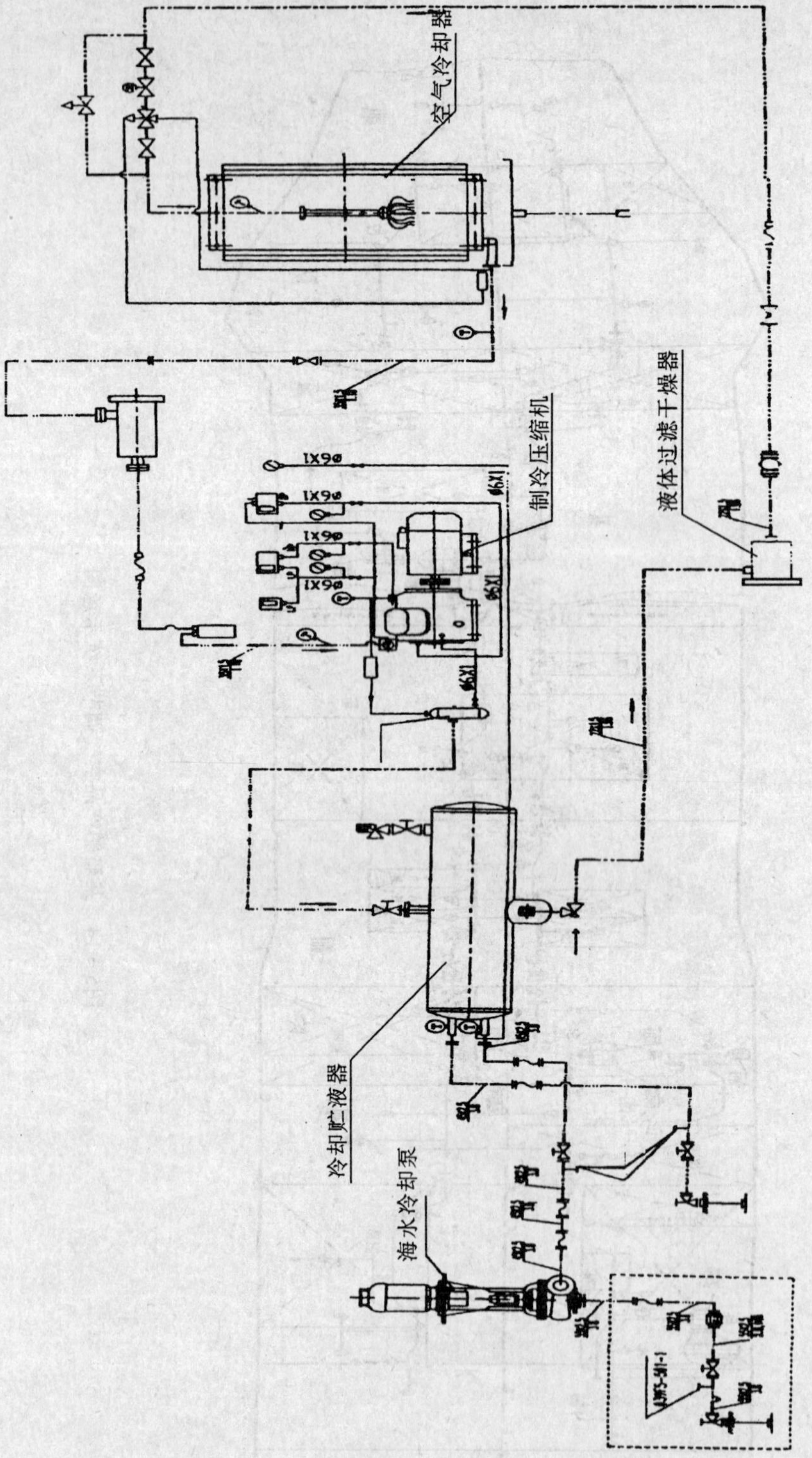

图5－15　某船舶产品空调制冷系统示意图

如图5-15所示，其制冷分系统主要由制冷压缩机、直流幅压电动机、冷凝贮液器、干燥过滤器、膨胀阀和空气冷却器以及海水冷却泵和海水滤器等组成。另外，还配有高压控制器、油压控制器、低压控制器等自动仪表，以保证制冷装置的运行安全。

三个空调分区的三台制冷压缩机分别布置在Ⅰ舱辅机室、Ⅱ舱辅机室和Ⅴ舱上层中部。每台压缩机随机配带有仪表板及相应的仪表，分别显示压缩机的吸气压力、排气压力和油泵出口压力。另外，压缩机还配有能量调节与卸载装置。电动机和制冷压缩机通过联轴节联接后骑焊在卧式冷凝贮液器上，形成制冷压缩冷凝机组。

冷凝贮液器的作用是使从压缩机排出的高温高压R22气体冷却并凝结成液体。冷凝贮液器除了设有R22进气出液连接接管(上进下出)、冷却海水进出连接接头(下进上出)之外，还配有安全阀，以备冷凝贮液器在受高温时R22能安全逸出，另外，在冷凝贮液器水盖上下各设有一个放气旋塞和放水旋塞，在冷凝贮液器后端盖上设有两只防蚀螺塞。

油分离器安装在压缩机的排气口与冷凝贮液器之间的氟利昂管路上，其作用是用来分离从压缩机出来的氟利昂排气所夹带的润滑油。分离出来的润滑油积聚在分离器底部，当积存到一定液位后，浮球阀自动开启，润滑油就内流到压缩机曲轴箱(低压侧)内。当浮球阀失灵时，可用手动阀回油。通过分离器回油，一是维持压缩机油位的稳定使其能够正常运转，二是保证冷凝器免受润滑油污染不致降低热交换效率。

安装在压缩机回气管上的气体滤器公称通径为D_N32，气体滤器内部由金属丝滤网组成，其作用是防止污物进入压缩机汽缸。当需要更换或清洗滤网时，关闭滤器前的截止阀及压缩机的吸汽阀后，拆卸滤器底盖再可进行。

液体过滤—干燥器，公称通径D_N19，安装在电磁阀、热力膨胀阀等自控阀件之前的管路中，以清除杂质，防止自控阀件通道堵塞；同时也吸收水分，以避免节流过程中产生“冰塞”现象。

电磁阀EVR20，公称通径D_N20，接管规格$\phi25\times1.5$，连接方式喇叭口，电源为220V、50Hz。它是一种开关式电动操纵阀门，水平串接在热力膨胀阀之前，作为自动启闭液体管路之用。当压缩机启动时，电磁阀通电工作；压缩机停车时，电磁阀断电关闭，从而可以防止大量冷剂液体进入蒸发器，以免当压缩机再次启动时，液态冷剂被吸入压缩机而导致冲缸(液击)现象。

高压控制器和低压控制器控制机组在规定的压力范围内运转，即当压缩机的吸气压力降低或排气压力升高到超过各相应的规定值时，则控制器触点断开，使电动机供电中断，压缩机自动停车。低压控制器断路后会自动闭合，高压控制器断路后不会自动闭合，只有手动复位。该系统高压控制器调整动作值为1.67MPa±0.3MPa(表压)。低压控制器调整动作值为0.04MPa±0.01MPa(表压)时自动停机，0.18MPa±0.01MPa(表压)时自动开机。

油压控制器对具有润滑油泵的压缩机来说是必须的，其作用是保证压缩机在充足的润滑油量下运转，不致因油量不足而受损伤。油压控制器有二接管，上部接曲箱(低压)，下部接油泵出口(高压)。当油泵压力由于种种原因(如油孔阻塞，油泵故障等)降低，致使高低二压差降低到规定以下时，油压控制器经过时间延滞器，使触点断开，切断电源，压缩机停车。该系统设定油压控制器调整动作值为：压差0.065MPa(表压)。延滞时间90s。故障消除后，油压控制器手动复位，可重新启动压缩机。

压缩机自动能量调节装置的功能是由低压控制器控制其卸载电磁阀来实现的。制冷工作状态下，当蒸发压力低于0.4MPa(表压)时，接通卸载电磁阀，压缩机自动卸载50%运转；

当蒸发压力高于0.5MPa(表压)时,断开卸载电磁阀,压缩机自动复位100%运转。

外平衡热力膨胀阀根据系统中空气冷却器冷剂气体出口的过热度(即高于蒸发温度的度数),自动调节进入空气冷却器的液体冷剂流量,冷剂液体通过膨胀阀后,液体的压力由冷凝压力被节流到蒸发压力,当气体过热度增高时,膨胀阀自动加大开启度,反之自动缩小开启度。外平衡热力膨胀阀的感温包应水平紧贴在空气冷却器冷剂气体出口管道上,注意不能把感温包中的充注物漏掉,以免动作失效。换修时,可关闭二端截止阀,改用手动膨胀阀调节。手动膨胀阀006F003装在热力膨胀阀的旁通管路上,当热力膨胀阀失灵或换修时用以代替其起节流作用,通过手动调节流过的R22液体流量。手动膨胀阀由于其功能需要和结构上的特点,其开启截面(开启度)的变化很缓慢。

在R22液管上装有视液镜SG122S,可以直接观察系统中是否缺液及液体制冷剂是否有足够的过冷度,同时,根据装设在观察镜中特殊化学盐纸芯的颜色变化,可知道制冷剂中含水的程度。若呈现宝绿色表示含水量少,否则呈现粉红色,中间状态则呈现珍珠色(乳白色)。

KL400A型空气冷却器是空调系统中舱室空气直接与低温R22冷剂进行热交换的设备。三个空调分区的三台空气冷却器分别布置在Ⅰ舱辅机室、Ⅱ舱辅机室外和Ⅴ舱上层中部。空气冷却器由制冷剂液体分配器、蒸发盘管和挡水器三个主要部份组成。节流后的R22冷剂通过供液分布器分成14路进入蒸发盘管,并在管内蒸发吸收热量汽化,使管外空气得到冷却和干燥,空气中的水分凝成水滴后被挡水器挡住,避免其随冷却后的空气进入送风管。为了防止夹带的润滑油在蒸发盘管中累积形成油膜影响传热,R22液体从上面供入,R22蒸汽从下边引出,使润滑油能跟随R22气体一起返回压缩机中。

制冷压缩冷凝机组所用冷却水由独立的海水离心泵供给。海水由舷侧通海阀吸入,经过二道闭锁截止阀和海水滤器,进入冷却水泵,然后送至冷凝器,再由排出通海阀排至舷外。其中空调分区Ⅱ的冷却海水泵与Ⅱ舱蓄电池水冷系统冷却海水泵共用一个进水管路,包括管路上的舷侧通海阀和海水滤器。

制冷管系中的氟利昂管路,一般都采用焊接(铜焊及银焊),在仪表或阀件接管处亦采用喇叭口螺纹接头。管径较大和管路较长的管路,为拆卸方便还采用凹凸法兰连接,对于冷却海水管路全部采用标准的船用法兰连接。为避免冷量损失,防止凝露结霜,氟利昂低温管路(回气管、低压供液管)还需包扎20mm厚的隔热保冷材料和防潮层。为起回热作用,如果空间允许,回气管与高压输液管尽可能并排敷设在一起再外包绝热材料。为降噪隔振,压缩机进气管通过金属软管与系统管道相连,冷却水泵的进出口、冷凝贮液器的冷却水进出口装有双球体橡胶软管。

由于氟利昂气体管路中润滑油与制冷剂气体是分离的,其管路多设有倒U型弯管并保持一定坡度,以确保带油顺畅,避免压缩机汽缸产生"油击"现象。对氟利昂管路,最需要注意的问题是降低压力降和减少在液体管道内产生闪发气体。

为监测有关温度变化情况,在冷凝贮液器进口与出口管路上装有WSS型双金属温度计,在压缩机进气排气口处,空气冷却器氟利昂接口处装有WSS型温度计。为吹洗舷侧吸入管路及通海阀,在吸入管路上、通海阀和第二道闭锁截止阀之间装有一个中压空气接头。

空调送风风管分系统由空调风机、送风管道和回风管道及通风附件组成。其中送风管道及其附件和主通风系统共用。因此,全船主通风系统管道及附件,在空调工况时,利用通风蝶阀、Ⅱ舱总管上的密封调风门而一分为三,分别服务于三个空调分区(如图5-14所示)。对于每一空调分区,借助于该分区的空调风机,将分区内的空气沿抽风管路抽出,经空气冷却器降温、除湿处理以后,沿送风管路输送到各空调部位,从而改善舱内的工作和生活环境,对于底舱及各辅机舱等部位,空调系统仅仅是把处理后的空气供该工作位的人员吹淋,利用局部空气的温差和流速使人的实感温度降低有凉爽的感觉,而对于其他重要舱室,则通过均匀降低整个舱室的温度和湿度来创造一个合乎要求的温湿度环境。

而该制冷分系统的工作是这样进行的:如图 5-15 所示,经过节流后的低温低压液态冷剂在流过蒸发盘管时不断蒸发(严格意义上讲应称沸腾),蒸发过程中不断从盘管外吸收热量,从而维持盘管外空气腔中的低温,使通过盘管的高温高湿空气不断冷却和干燥。从蒸发盘管出来的低温低压制冷剂经过气体滤器过滤后即被压缩机吸入,在压缩机中被压缩成为高温高压气体后排出,排出的制冷剂气体则进入冷凝贮液器,在冷凝贮液器中被海水逐渐冷却,放出的热量被海水带到舷外,这时制冷剂从过热气体冷却为饱和气体再冷凝为饱和液体,最后成为过冷液体,集中于冷凝贮液器中,液体冷剂在冷凝压力作用下,通过干燥过滤器,电磁阀至热力膨胀阀。流经热力膨胀阀时,通过调节进入蒸发盘管的制冷剂流量,以适应空调负荷变化的需要。同时高压液态冷剂在流经热力膨胀阀时发生节流效应,使冷剂液体由冷凝压力降低至蒸发压力。节流后的低温低压制冷剂重新进入蒸发盘管汽化吸热,如此完成了一循环,并周而复始地工作,达到制冷目的。

二、空气调节系统操作

1.使用前的准备和检查

(1)检查送风系统:空调分区隔离阀是否关闭到位;空调风机、空气冷却器进出口风管上的密封调风门是否开启。

(2)检查压缩机各部分:盘动压缩机联轴节数圈,有无卡止现象;检查压缩机曲轴箱油位高度是否在油面观察孔一半以上。

(3)检查冷却水管路:舷侧通海阀及其二道闭锁截止阀是否开启;冷凝贮液器进出口海水管路上的阀件是否开启。

(4)检查制冷管系中各阀的开闭状态是否正确:高压系统排汽阀应打开,低压系统吸汽阀应关闭;安全阀前截止阀应开启;平衡阀应开启;冷凝器上的进气出液阀应开启;手动膨胀阀应关闭。

(5)检查温度计插座内是否充满导热介质(冷冻机油或甘油)。

2.系统启动操作程序

(1)启动空调风机进行空调分区内的循环通风;

(2)启动冷却水水泵对冷凝贮液器进行供水;

(3)启动压缩机马上观察油压变化是否达到规定要求,油压与曲轴箱压力之差应大于等于 0.15MPa,静听机器声音有否反常。当压缩机达到全速后,缓慢开启吸汽阀。如在开启阀时出现敲缸或汽缸结霜现象时,应立即把吸汽阀关小,待上述现象消失后再逐渐开足汽阀。如果必要的话,可以采取更有效的措施预防开车时的敲缸现象,即冷凝贮液器上的出液阀待开车后再开启,或者在开车前仅仅稍开蒸发器回气管路上的直通阀。

3.运行过程中监测和注意事项

(1)运行过程中必须经常观测有关的读数,特别是启动后的前一段时间(15min 内),应集中精力监视压缩机的工作状态。运行过程中有关读数应符合表 5-1 规定的数值。

表 5-1

项　目	单　位	规定范围	
		下　限	上　限
油　　压	MPa	0.15	0.20
吸气压力	MPa	0.45	0.55
排气压力	MPa	1.20	1.50
吸气温度	℃	12	18
排气温度	℃	—	80
曲轴箱油温	℃	5	60

(2)定时根据油压来查看油压控制器是否失灵,对高低压控制器工作是否正常也应定期进行检查。

(3)经常查看压缩机曲轴箱的油面位置和油分离器的自动回油情况。在正常情况下,曲轴箱液面应处于视镜中线以上,油分离器浮球阀应自动地周期性开启和关闭,用手触摸回油管,应该有时热时冷的感觉。

(4)检查安全阀及其管路的情况。

(5)随时倾听压缩机的运转声音。在正常运转时,只有进排汽阀片发出清晰而均匀的起落声,其余部件诸如汽缸、活塞与连杆及轴承等不应有敲击声。

(6)注意检查制冷装置及其氟利昂管系是否有泄漏。若在连接件的接头处、轴封等部件上发现油迹,即表明存在泄漏现象。

(7)注意检查制冷部件及氟利昂管系是否有堵塞。堵塞最易出现在干燥器、过滤器和膨胀阀等部件上。凡出现堵塞的地方,用手触摸将会感到其前后有明显的温差,或看到其后面有凝露或结霜。

(8)检查水泵、风机的运转情况:在船舶上浮吹除压载水舱时,水泵可能会吸入空气造成干转而损坏轴封。为防止水泵干磨,应在上浮吹除,(包括高压空气吹除和低压废气吹除)后立即检查空调水泵,并打开水泵出口处的放气旋塞将气体放出。

4.使用过程中的安全保护

(1)排气压力的保护:排气压力(高压)的保护通过高压控制器来实现。当排气压力升高到超过 1.67±0.03MPa(表压)时,则控制器触点断开,使压缩机组停机。高压保护停机是事故停车,需待故障排除后,经手动复位,压缩机应能运转。下列情形会造成排气压力过高:

①冷凝贮液器断水或供水严重不足;

②启动时排气管路阀未打开;

③氟利昂系统内不凝性气体过多。

(2)吸气压力保护:吸气压力(低压)的保护通过低压控制器来实现。当吸气压力降低至 0.04±0.01MPa(表压)时压缩机组自动停车。低压保护停车属正常停车,当低压回升到 0.18±0.01MPa(表压)时触点会自动复位闭合,机组重新启动。

(3)油压保护:油压保护通过油压控制器来实现,以确保压缩机运转时所需的足够的润滑油供油量。当油压差小于 0.065MPa(表压)时,压缩机延长 90s 后停机,故障消除后,经手动复位后,运转压缩机。

(4)容器保护安全阀:制冷系统中的有关容器如冷凝贮液器上配置了弹簧式安全阀,以防止意外的压力升高所引发的危害。冷凝贮液器上安全阀的开启压力为 1.9±0.06MPa,关闭压力为 1.72±0.06MPa,在安全阀的下部还设有截止阀,但截止阀铅封成开启状态。

5.系统停止运行操作程序

(1)关闭冷凝贮液器出液阀,停止向系统中供给制冷剂。

(2)利用压缩机将蒸发器内的制冷剂抽吸到冷凝贮液器中,为了将制冷剂尽量抽尽,可人为地短接低压断电器或调低其切断值而反复抽吸,直到低压不再回升时,仍继续使压缩机运转,直至抽到 0.049MPa(表压)停车。如果吸入压力抽至低于 0.0MPa(表压)且不再回升,则应稍开油分离器的手动回油阀,从高压端放回一些冷剂,使停车后低压管路的压力稍高于大气压力,防止空气漏入系统。然后关闭压缩机吸气、排气截止阀。

(3)停止冷凝贮液器冷却水水泵工作,关闭冷凝贮液器进水阀。

(4)停止空调风机的运转。

(5)切断电源。

(6)注意:制冷装置不论在停用时,或运转中,系统中充满液体制冷剂的容器或液管两端的阀门不得同时关闭,以免因热膨胀引起密闭部分的压力过高而损坏设备和管路;临时性停用,可仅带切断电源,关闭冷凝贮液器的进水阀和压缩机的吸入截止阀。

6.系统的维护和保养

(1)日常维护和保养

①经常观察、检查管路和附件的可靠性、安全性。

②在观察检查过程中,若发现附件损坏,可能会引起故障时,应及时进行维修。

(2)长期停用时的维护和保养

①长期停用时,需将制冷系统中的制冷剂收贮在冷凝贮液器内,或将制冷剂取出置于钢瓶保存。

②长期停用时,应将冷凝贮液器的循环水和空气冷却器内的凝水全部放净,以防天冷结冰冻裂设备。

③长期停用时,应关闭压缩机进气、排汽阀门。但需切记,在重新启动前,应按系统启动操作前的规范程序进行,以避免汽缸爆炸事故。

(3)检修周期

①每年对安全阀进行一次校准工作。

②每两年对压力仪表进行一次校准工作。

三、空气调节系统一般故障分析和排除

1.压缩机不能启动

(1)故障原因是:

①电气线路故障;

②油压控制器断开;

③高低压控制器断开或未复位。

(2)故障的排除方法:

①检查并修理;

②手揿油压控制器复位按钮;

③等待压力能将触点闭合或把触点闭合的压力值予以调整。

2.压缩机开始工作但不久即停车

(1)故障原因是:	(2)故障的排除方法:
①油压控制器调节不当;	①调整油压控制器动作范围;
②不能建立正常油压而使油压控制器动作;	②检查油路,使油路恢复正常;
③高低压控制器调节不当;	③调节高低压控制器;
④冷凝器水量不足,致使冷凝压力上升,高压控制器动作或者冷凝贮液器有水垢;	④检查冷却水管路畅通性并加大水量,或清洗散热管;
⑤启动补偿器线路有误;	⑤检查并修理;
⑥电磁阀有故障没有开启,致使低压控制器动作而停车。	⑥调换电磁阀。

3.压缩机启动正常一段时间后油压下降

(1)故障原因是:	(2)故障的排除方法:
①油泵吸入带泡沫的油或将油搅起泡沫;	①检查润滑油,确定更换与否;
②吸油过滤网堵塞;	②拆卸并清洗;
③曲轴箱中油量减少;	③查明原因,调整油量;
④曲轴箱中有制冷剂;	④应将制冷剂排除;
⑤油管或油泵漏油;	⑤停机修补;
⑥油压调节阀调整不当。	⑥调整油泵压力。

4.润滑油温度过高

(1)故障原因是:	(2)故障的排除方法:
①油分离器有故障;	①拆卸检查排除之;
②压缩机排气温度过高。	②按“排出压力过高”情况处理。

5.油泵压力过高

(1)故障原因是:	(2)故障的排除方法:
①油压表失灵;	①更换油压表;
②齿轮油泵盖上的油压调得太小;	②重新调整油压;
③排油管路堵塞。	③清理。

6.油泵压力过低

(1)故障原因是:	(2)故障的排除方法:
①油压表损坏,或接管堵塞;	①更换油压表;
②泵盖上油压调节阀开启过大;	②重新调整油压;
③曲轴箱油量过少,船体摇摆时气体吸入;	③查明原因,调整油量;

④油温过高；

⑤油泵油管故障。

④按4条“润滑油温度过高”处理；

⑤拆检调换。

7.压缩机发生湿冲程

(1)故障原因是：

①膨胀阀开启过大；

②压缩机上进汽阀开启过快；

③系统中制冷剂过多。

(2)故障的排除方法：

①立即关闭膨胀阀，待汽缸壁上的霜溶化后再逐渐调整膨胀阀的开启度；

②立即关闭进汽阀，停至汽缸壁上的霜溶化后再逐渐开启；

③放出多余制冷剂。

8.空气冷却器出风温度高，制冷能力不足

(1)故障原因是：

①空调风机风量不足；

②膨胀阀过热度调节过高；

③系统氟利昂不足；

④膨胀阀堵塞或感温包泄漏。

(2)故障的排除方法：

①检修；

②调节过热度；

③检查有否泄漏，消除后仍不足可加适量制冷剂；

④检修。

9.冷凝贮液器上安全阀跳开

(1)故障原因是：

①冷凝贮液器冷却水中断或水量减小。

(2)故障的排除方法：

①查明原因，向冷凝贮液器供应足够冷却水。

10.自动能量调节装置调节不灵

(1)故障原因是：

①油压过低；

②油管阻塞；

③卸载装置卡死；

④电磁滑阀不起作用。

(2)故障的排除方法：

①调整油压；

②清洗；

③检修；

④检修。

11.吸入压力过高

(1)故障原因是：

①制冷负荷增大；

②膨胀阀开启过大。

(2)故障的排除方法：

①查看负荷情况；

②关小膨胀阀。

12.吸入压力过低

(1)故障原因是：

①液体干燥过滤器阻塞；

②膨胀阀开启度过小；

③感温包泄漏；

(2)故障的排除方法：

①清洗干燥过滤器；

②适当调整其开度；

③调换；

④润滑油过多;	④检修油分离器的回油系统;
⑤制冷剂不足;	⑤补足制冷剂;
⑥膨胀阀供液管路发生堵塞。	⑥查明原因予以疏通。如运行中又重复冰塞,则需调换干燥剂。

13.排出压力过高

(1)故障原因是:	(2)故障的排除方法:
①系统中有大量空气等不凝性气体;	①将空气从系统中排出;
②冷凝贮液器水量调节阀未开;	②打开相应阀门;
③冷凝贮液器水管被污水垢阻塞、水量不足;	③清洗水管,增加供水量;
④有关排气管路的阀门未开足,或冷凝贮液器进口阀开启过小。	④开足有关阀门。

14.电磁阀动作失效

(1)故障原因是:	(2)故障的排除方法:
①线圈断路或烧毁;	①检修或更换线圈;
②阀塞上小孔堵塞;	②清除小孔中的污物;
③电气线路有误。	③检查电源及线路。

15.水泵不吸水

(1)故障原因是:	(2)故障的排除方法:
①吸入管路未灌水;	①灌水;
②吸入管路漏气;	②检查吸入管路并消除漏气;
③流入水泵水量不足;	③再往水泵内注水;
④底阀没有打开或淤塞;	④检查疏通底阀。

16.压缩机组振动剧烈

(1)故障原因是:	(2)故障的排除方法:
①机座刚性不足;	①调换加强;
②压缩机轴承磨损、供油受阻;	②修理;
③阀片损坏;	③调换;
④轴封供油受阻磨损;	④修理;
⑤滑油或冷剂过多;	⑤抽吸过多滑油或冷剂;
⑥电机轴承等损坏;	⑥修理电机;
⑦管路振动。	⑦加强防振接软管。

习　题

1.船舶制冷主要是指哪两类？

2.机械制冷有哪几种类型？蒸汽压缩式制冷系统由哪些基本器件组成？

3.船用制冷压缩机的主要型式有哪几种？活塞式压缩机是如何工作的？

4.在机械制冷系统中冷凝器起什么作用？按所用冷却介质不同，冷凝器可分为哪三种基本型式？

5.卧式壳管式水冷式冷凝器主要由什么组成？它怎样工作？

6.在机械制冷系统中节流阀起什么作用？热力式膨胀阀按感压元件的平衡方式分为哪两种？它们各有什么特点？

7.船舶冷藏系统如何工作？你怎样操作船舶冷藏系统？

8.怎样进行冷藏系统常见故障分析与排除？

9.船舶空调的主要内容有哪些？

10.集中式空气空调系统有几类？它们的基本工作原理是什么？

11.集中式空调器对空气进行哪些处理？如何进行空调系统的测定与调整？

12.船舶空气调节系统主要由哪些部分组成？如何工作？

13.你怎样操作船舶空气调节系统？

14.怎样进行船舶空气调节系统常见故障分析与排除？

第六章　船舶管路修理

船舶在航行一定的时间后，按国家《营运船舶修理检验规范》所规定的要求和部队对军船在舰船修理检验所规定的要求，应进行不同级别的修理和对应的检验要求对舰船进行修理和检验。船舶在达到中、大修级别时，船舶部分管路也相应腐蚀、损坏到一定程度，需要进行拆换、修理和表面处理。修船过程中的管路修理与造船管系施工不同的在于管路安装固定在船舶的各个部位和地方，需要进行实船勘验、绘制拆卸图，拆卸、内场鉴定、靠模取样、制造、清洁和镀锌、安装、试验等工艺步骤。

第一节　船舶管路拆卸图绘制

管路在拆卸施工前，应按船舶修理的类别和船方提交的施工项目单及船方提供管路布置图和原理图，绘制管路拆卸图，并与船方代表一道实船勘察、核实。其步骤如下：

1.按照船舶修理类别，管子及附件的勘察与修理工作要求和损坏状况编订《管路勘验修理议定书》，确定勘验修理范围。编订议定书应遵守以下原则。

(1)明确修理类别。坞修工程(包括上船排除临时性事故修理)：对发生故障或工作不可靠的管路进行勘验，施以必要的勘验修换。小修工程：局部勘验修换。中修及以上工程(包括改、增、换装工程)：全面勘验大部修换。属第一轮中修工程，可酌情缩小工程范围。

(2)确定修换程序。优先采取修补措施，不能修补或虽能修补但不能保证正常技术状态至下次修理时，则采取局部、整段或全部换新措施；因其他工程牵连或安装部位拆修困难者，应酌情提前予以修理

(3)明确检验标准。因船体改装，机械设备换装及新加设备，而需新换和增加的管路，明确按新制情况的技术要求、船舶建造规范和海军舰艇建造规范或参考本文件检验验收。

2.《管路勘验修理议定书》编订后，进行现场勘验前处理：

(1)涂刷需要拆卸管路的识别漆，系统不同识别颜色不同，防止拆漏和拆错。

(2)根据系统的不同，编制系统代码、序号，制作识别牌，依据系统原理或主要设备进、出口端的顺序挂识别牌。

(3)清查施工现场，尤其注意油舱、电器设备、机械设备的位置，以及附件、连接件的尺寸，准备好工具。

3.绘制拆卸图。按系统的不同分别绘制平面示意图和区域示意图，拆卸图可以是几个区域和几个平面示意图的组合，也可以是单一的整体，但每分拆卸图均应标注清晰、明确，基本要求如下。

(1)拆卸图中应清楚的标示出系统管路介质的流向。设备的位置。阀件的型号。

(2)拆卸图可以是草图形式，可以不按比例，但应线条清晰明了。

(3)拆卸图中管子的识别码，应与实际挂牌一致，并且明确有序。一个系统中管子序号不应雷同。

(4)管子与管子、管子与设备、管子与阀件等的对应接口要明确,标注要清晰。

(5)根据管子位置的不同,标注部分有代表性管子的位置尺寸,即坐标尺寸。所标注的位置尺寸允许不是非常精确。

第二节　船舶管路修理的管路拆卸、内场鉴定与复装施工

1.拆卸

(1)系统管路拆卸前,应排放掉管路中的介质,避免油、水等流入机舱和其他舱室。

(2)管子拆卸应从连接机械设备处开始进行,先上后下,由表及里按顺序拆卸。

(3)应以板手等工具拆卸其连接件,不能随意使用气割方式,防止管子变形,尤其燃油、滑油、液压油等可燃易爆系统管路不得使用气割,防止事故发生。

(4)管子拆卸后,与其连接的机械设备、通舱管件、装置等接口,均应加封盖或包扎,防止施工异物进入,造成损坏。

(5)管子拆卸后,应按拆卸图归类,顺序捆扎运回内场,并检查识别牌是否脱落。

2.内场管子鉴定

(1)拆卸回内场后的管子,应有序堆放保管,避免失落、混淆,并与工艺技术人员和船方代表一起进行单根管子鉴定,确定管子换新数量和修补留用数量。并在管路中适当留取样管。

(2)管子在内场测厚值大于许用管壁厚度 δ_0 的才可留用,小于 δ_0 时必须换新,留用的管子复装前要做表面处理。

a.按规范规定,受内压钢管壁厚腐蚀后的最小厚度不得小于下式计算的许用管壁厚度 δ_0

$$\delta_0 = \frac{PD}{2[\sigma] + P}$$

式中　δ_0——许用管壁厚度(mm);

P——设计压力或工作最大压力(MPa);

D——管子外径(mm);

$[\sigma]$——钢管或铜管材料许用应力(MPa)。

b.管子和主要附件换新时,其材质和规格应保证与原设计一致,当原材质和规格(如管壁设计厚度)不明时,可根据相应规范的要求、船方意见进行选用。所用材质应有合格证,无合格证或者对其数据有怀疑,须按相应的标准或船舶材料试验规范要求补做试验。换新材料的选用应遵循以下原则:

①镀锌钢管:用于舱底水管、空气管、溢流管、测量管、透气管、海水管、冷却水管、凝水管、甲板排水管及生活卫生排泄管等;

②钢管:用于货油管、燃油驳运管、滑油驳运管及排气管等;

③无缝钢管:用于给水管、锅炉排污管、滑油管、加热燃油和滑油的蒸汽管或工作压力大于 1MPa 的蒸汽管、压缩空气管、燃油管及热燃油管等;

④耐热合金管:用于流体温度小于 450℃的管路(排气管除外);

⑤焊接钢管:一般用于工作压力小于 1MPa 的管路,最大不得超过 3MPa;

⑥铜及铜合金管:用于滑油管、燃油管、海水管、排污管、液压管、压缩空气、通话及热交换器管等;

⑦铝合金管:用于工作压力小于 1MPa、温度小于 200℃的滑油管、燃油管、淡水管、空气管、通话管等。宜采用 LF3 和 LF6 处于退火状态的材料。

3.管子制造

确定更换的新管子,在内场应采用固定平台单件管子靠模施工方式进行,其靠模桩应与平台焊接牢固,不得发生变形。管段间的焊接(包括直管和弯管),以及螺纹接头、法兰接头、支管接头与焊接。

4.管子安装

管子船上安装以拆卸图标注,按原位恢复安装,对原布设不合理和安装检修确有困难者,经商定后可做适当调整。管子船上安装,一般先试装,在管子的压力试验合格和内外表面清洗、清理后,再进行正式安装。

5.试验

管系安装完毕后,应根据各系统的不同要求,进行密性试验和效应试验。

第三节　管系修理工时定额简介

一、船舶管系修理的定额工时标准

在船舶管系修理的定额工时查定中,主要依据船标 CB1090－88《船舶管系及其附件修理工时定额》,这里将标准中使用较多且实用的部分作介绍。

1.高压及液压管件

(1)操作内容

①拆卸　内容包括拆卸前根据船上实际情况绘制安装简图,标明介质流向,挂牌作记号,拆卸,拆卸的管件放到指定位置。

②装复　垫片换新,管件装复。

③换新　拆卸旧管件,挂牌作记号进车间,领取材料,下料、弯制或拼接($D_N>32$mm)、按旧管件做样板校管,点焊(不包括焊接),清理毛刺,上船安装,支架装妥。

(2)工时定额见表 6－15,6－16。

表 6－15

操作内容	单位	管件通径 D_N mm						
		4～6	8～10	12～14	15	20	25	32
		工　时　h/件、m						
拆　卸	件	0.30	0.40	0.45	0.50	0.50	0.55	0.65
装　复	件	0.60	0.70	0.80	0.90	0.95	1.00	1.25
拆装换新	件	1.70	2.10	2.50	3.00	3.40	3.00	4.40
拆装换新	M	0.55	0.70	0.80	1.00	1.10	1.25	1.45

表 6－16

操作内容	单位	管件通径 D_N mm						
		40	50	65	80	100	125	150
		工　时　h/件、m						
拆　卸	件	0.70	0.75	0.85	1.00	1.20	1.40	1.60
装　复	件	1.35	1.50	1.70	2.10	2.50	3.40	4.00
拆装换新	件	5.00	5.40	6.00	6.60	7.80	9.60	11.80
拆装换新	M	1.65	1.80	2.00	2.20	2.60	3.20	3.90
技术等级		4～6						

(3)表 6－15,6－16 使用说明:

①本表工时是以 1～10 件,1～30m 为基准制定的。11～20 件,取 $K=0.9$;21 件以上取 $K=0.8$;31～60m,取 $K=0.9$;61m 以上取 $K=0.8$;

②合金钢管的拆装换新,取 $K=1.5$;管件通径 $DK\leqslant 25$mm 的铜管的拆装换新,取 $K=0.8$;$DK>25$mm 铜管,取 $K=1.2$;

③高空或花铁板下作业,取 $K=1.1$,管盘或双层底作业,取 $K=1.2$;

④螺纹接头,卡套接头,取 $K=0.9$;

⑤直管长度不足 1m 时,取 $K=0.7$。

2. 机舱管件

(1)操作内容

①拆卸:内容包括拆卸前根据船上实际情况绘制安装简图,标明介质流向,挂牌作记号;拆卸;拆卸的管件放到指定位置。

②装复:垫片换新,管件装复。

③拆装换新:拆卸旧管件,挂牌作记号进车间,领取材料,下料、弯制或拼接($D_N\leqslant$ 25mm)、按旧管件做样板校管,点焊(不包括焊接),清理毛刺,上船安装,支架装妥。

(2)工时定额见表 6－17,6－18。

表 6－17

操作内容		单位	管件通径 D_N mm						
			40	50	65	80	100	125	150
			工　时　h/件、m						
旧管	拆　卸	件	0.50	0.60	0.65	0.70	0.80	0.95	1.15
旧管	装　复	件	0.90	1.00	1.20	1.35	1.60	1.90	2.30
旧管	拆装换新	件	3.00	4.00	4.40	4.70	5.10	5.60	7.00
旧管	拆装换新	M	1.00	1.30	1.45	1.55	1.70	1.85	2.30
旧阀	拆　卸	件	0.40	0.55	0.55	0.60	0.70	0.85	1.10
旧阀	装　复	件	0.75	0.85	0.90	1.00	1.10	1.20	1.35
旧阀	拆装换新	件	1.40	1.65	1.75	1.85	2.05	2.30	3.00
技术等级			3～5						

表 6-18

操作内容		单位	管件通径 D_N mm						
			125	150	200	250	300	350	400
			工　时　h/件、m						
旧管	拆　卸	件	1.30	1.50	2.00	2.50	3.20	3.80	4.30
	装　复	件	2.90	3.70	4.30	5.00	6.00	6.90	7.40
	拆装换新	件	9.00	11.00	13.50	16.50	18.50	21.00	23.50
		M	3.00	3.60	4.50	5.50	6.10	7.00	7.85
旧阀	拆　卸	件	1.30	1.45	1.90	2.50	3.10	3.70	4.30
	装　复	件	1.70	2.00	2.50	3.80	5.20	6.30	7.40
	拆装换新	件	3.85	4.90	6.25	8.25	10.30	12.60	14.85
	技术等级		3~5						

(3)表 6-17,6-18 使用说明：

①本表工时是以 1~10 件,1~30m 为基准制定的。11~20 件,取 $K=0.9$;21 件以上取 $K=0.8$;31~60m,取 $K=0.9$;61m 以上取 $K=0.8$;

②合金钢管的拆装换新,取 $K=1.5$;管件通径 $DK\leqslant 25$mm 的铜管的拆装换新,取 $K=0.8$;$DK>25$mm 铜管,取 $K=1.2$;

③高空或花铁板下作业,取 $K=1.1$,管弄或双层底作业,取 $K=1.2$;

④螺纹接头,卡套接头,取 $K=0.9$;

⑤直管长度不足 1m 时,取 $K=0.7$。

3.甲板管件

(1)操作内容

①拆卸　拆卸管件前绘制简图,标明介质流向,挂牌作记号,放至指定位置;

②装复　垫片换新,管件装复。

③拆装换新　拆卸旧管件,挂牌作记号进车间,领取材料,下料、弯制或拼接($D_N\leqslant$ 25mm)、按旧管件做样板校管,点焊(不包括焊接),清理毛刺,上船安装,支架装妥。

(2)工时定额见表 6-19,6-20。

表 6-19

操作内容		单位	管件通径 D_N mm						
			15~25	32	40	50	65	80	100
			工　时　h/件、m						
旧管	拆　卸	件	0.50	0.60	0.65	0.70	0.75	0.85	1.00
	装　复	件	0.90	1.00	1.10	1.20	1.30	1.60	2.10
	拆装换新	件	2.70	3.30	3.90	4.20	4.50	5.00	6.00
		M	0.90	1.10	1.25	1.35	1.50	1.65	2.00

表 6-19(续)

操作内容		单位	管件通径 D_N mm						
			15~25	32	40	50	65	80	100
			工 时 h/件、m						
旧阀	拆 卸	件	0.40	0.55	0.55	0.60	0.65	0.75	0.90
	装 复		0.55	0.65	0.70	0.75	0.80	0.90	1.05
	拆装换新		1.35	1.60	1.65	1.70	2.00	2.20	2.90
技术等级			3~5						

表 6-20

操作内容		单位	管件通径 D_N mm						
			40	50	65	80	100	125	150
			工 时 h/件、m						
旧管	拆 卸	件	1.20	1.40	1.85	2.40	3.10	3.50	4.00
	装 复		2.50	3.10	3.70	4.50	5.30	5.90	6.70
	拆装换新		7.80	9.80	12.00	14.50	16.30	18.00	20.00
		M	2.60	3.25	4.00	4.80	5.40	6.00	6.70
旧阀	拆 卸	件	1.05	1.35	1.80	2.40	2.90	3.50	4.10
	装 复		1.50	1.90	2.35	3.70	5.00	6.00	7.00
	拆装换新		3.65	4.55	5.85	7.85	9.80	11.70	14.00
技术等级			3~5						

(3)表 6-19,6-20 使用说明:

①本表工时是以 1~10 件,1~30m 为基准制定的。11~20 件,取 $K=0.9$;21 件以上取 $K=0.8$;31~60m,取 $K=0.9$;61m 以上取 $K=0.8$;

②合金钢管的拆装换新,取 $K=1.5$;管件通径 $DK \leqslant 25$mm 的铜管的拆装换新,取 $K=0.8$;$DK>25$mm 铜管,取 $K=1.2$;

③高空或花铁板下作业,取 $K=1.1$,管弄或双层底作业,取 $K=1.2$;

④螺纹接头,取 $K=0.9$,套管接头,取 $K=0.8$;

⑤管长度不足 1m 时,取 $K=0.7$;

⑥消防阀取 $K=0.7$。

4.旧管路改造

(1)操作内容

①加法兰:用气割割断管子,校法兰,拆卸管子配合焊接,清理毛刺,装复管件及支架;

②拆卸法兰:拆卸并装复法兰,垫片换新;

③加支管:在旧管上校支管及法兰,拆卸管件,配合焊接,清理毛刺,装复管件及支架;

④加阀:用气割割断管子,装阀校法兰,拆卸管子阀件,配合焊接,清理毛利,装复管子、阀件及支架。

(2)工时定额见表 6－21

表 6－21

管件通径 D_N mm	加法兰	拆装法兰	加支管	加　阀	技术等级
	工　时　h/对		工　时　h/对		
15～25	2.10	0.60	2.30	2.70	3～4
32	2.30	0.70	2.45	3.30	
40	2.50	0.80	2.75	3.60	
50	2.85	0.90	3.00	3.95	4～5
65	3.20	1.05	3.40	4.55	
80	3.60	1.30	3.90	5.35	
100	4.30	1.55	4.50	6.90	
125	4.80	1.90	5.60	8.60	
150	6.20	2.35	7.00	9.45	5～7
200	7.00	2.75	8.50	11.15	
250	9.00	3.45	10.50	14.60	
300	11.25	4.00	13.00	18.75	
350	13.00	4.60	15.50	20.65	
400	15.00	5.10	18.00	23.00	

(3)表 6－21 的使用说明

①本表工时是以 1～10 对，1～10 件为基准制定的。11～20 对(件)，取 $K=0.9$；21 对(件)以上，取 $K=0.8$；

②高空、花铁板下作业，取 $K=1.1$，管弄、双层底作业，取 $K=1.2$；

③燃、滑油管及其他需两次拆装的管件，取 $K=1.5$。

以上介绍了四个方面的定额标准，定额标准的制定依据是以管径大小、批量、作业环境等因素(即修正系数 K)决定工时多少的。由于修船有其自身的特殊性，周期要求特别紧，工作效率也将有所提高，修正系数 K 可以进行调整。

二、修船材料及工时预估方法

1.修船材料的预估方法

在船舶修理合同承接中和承接后，施工的准备工作即已开始。施工的准备工作的首要任务是依据甲方提供的《船舶修理项目单》进行修船材料预估。在收到《船舶修理项目单》后，应根据工厂自身的技术、设备等方面的能力预估外购设备、原材料采购项目，并确定修理项目的可行性，然后组织各专业人员分工进行实船勘验。勘验人员除经营、技术人员外，施工工人的参与尤为重要。它可以使工人较早地了解施工项目、施工环境、施工的技术要求，以便较好地做好施工准备工作。

实船勘验是修船材料预估的重要工作，勘验工作质量的好坏程度直接影响到修船材料预估的准确性。首先对照项目单,对需要换新的管路、附件及其他附件实地测量,并作好记录,记录内容包括管材、阀件及附件的数量、规格牌号、型号或图号等。记录最好用设计好的表格,这样记录清楚、快捷;其次,因换新而拆卸的管件影响到其他的管路或设备,使其有可能损坏或报废的也应归入到修船材料的预估中。另外,《修船项目单》中没有的修理项目,在勘验和以后的修理过程中,发现是必须修理的项目(我们把这部分项目叫隐蔽项目或加账项目),这部分的材料也应归入到修船材料的预估中。但由于这部分项目的隐蔽性使材料的预估难度较大。

实船勘验记录完毕后,就是汇总整理工作。作好汇总表的设计,内容包括管子规格、牌号,各规格的长度或质量,管子连接件的数量、规格,阀件及附件的规格、型号或图号。管材汇总完毕后。应按勘验实际数量稍作放宽处理。

为了降低产品成本,增强修船市场的竞争力,对原旧管路应充分利用,在不影响产品质量的要求下,能修复使用的尽量修复使用,不要盲目换新。

2.修船工时的预估方法

有了实船勘验及结果的记录汇总,对管系的修理范围及其工作量就比较清楚了。预估船舶管系修理工时,对象不同,用作预估的方法也可不同。用于对外报价,为了快捷,可将管径分为若干档,平均按每根 10~15h 完成从拆卸到安装的水平预估;用于对内的承包、计算劳动报酬和施工进度计划安排,就应按船标 CB1090-88 标准进行查定。按部标查定的工时准确性高,实用性强,但逐根查定工作效率较低,有时满足不了生产的需要。

三、安排工程施工进度计划的原则及方法

安排施工进度计划的原则应是修船合同所规定的完工交船日期相一致的原则,较大工程不但应有完工交船日期的计划,还应有重点施工项目的施工进度计划,在施工过程中计划若列节点,为保证按期完成节点计划,有时要安排日进度计划,这些都是为了如期完成最终的交船计划。

除日进度计划外,较长的进度计划的安排一定要留有余地。要考虑到外购设备材料的到货时间、施工暴露的隐蔽工程等因素对工程进度的影响,这样安排的工程施工进度计划才能如期完成。

习　题

1.船舶管路修理工作包括哪些基本内容?

2.在船舶修理的管路拆卸施工前应做哪些工作?其步骤如何?

3.编订议定书应遵守哪些原则?

4.船舶管路修理的管路拆卸、内场鉴定与复装施工按哪些要求进行?

5.船舶管系修理的定额工时包括哪些内容?

6.如何进行修船材料及工时预估?

7.安排工程施工进度计划的原则及方法有哪些?

第七章 国内外最新动态知识

第一节 日本大岛造船厂先进造船法略谈

日本大岛造船厂,有工人 920 人、外包工 300 人,共 1220 人;一年生产 45000 吨的船 20 条,90 万吨的年总生产量,每人每天 730 吨,是日本全国的平均生产水平的 1.97 倍。

在日本有 220 天的工作日,大概每条船的生产周期为 11 天。设备均与中国国内设备相同的水平,但最后加工出来的结果不一样,他们采用现代化的建造方式,主要是流水线生产,同一个地方做同样的事。

对于造船业来说,引用流水线生产是很困难的,这是因为其特点不同,接受订货后才能进行生产,而且订单产品各异。如果不对事前进行充分设计、事后充分准备,就不能进行实质性的制作。为了实现流水线生产目标,日本大岛造船厂主要在如下诸方面取得成效。

1.强化生产设计　生产设计是批量生产的基础设计。通常一年生产二条船的船厂是不用做生产设计的,只有一年生产三条船以上的才能进行生产设计。生产设计就是综合考虑在何时、何地、使用何种材料、采用何种方法,最合理的高效率的生产建造计划。设计图只表明完成后的状态,生产设计是生产管理的一部分,是在船舶生产设计过程中,在确定了总的建造方针的前提下,以详细设计为基础,根据船厂生产施工的具体条件,按工艺阶段施工区域和单元,编制各种工艺和各种管理数据的工作图表以提供生产信息文件,满足中间产品独立生产的一种设计过程。也就是根据详细设计的图纸,以中间产品为导向,在纸上先"造"一次船,从而对造船的全过程作出详细的分析,得出准确的生产信息。

2.编制有效的建造方针　建造方针是建造一艘船的总纲。采用工件移动法和工人移动法,工件移动法是指分段划分、分段上船台吊装的网络图和分段上船台装配的先后顺序。工人移动法是指主日程安排表。

3.设计标准化　能使设计周期缩短及订货周期缩短,舾装件 100%都是标准图纸,只需写上编码、数量就能订货了,船厂与生产单位联网,输入计算机就能订货了。

4.实施成组技术　运用成组技术,将工程分解为合理的中间产品,从而以中间产品为导向进行生产组织,并获得效益。

5.定位制造作业　框架式、区域式。日本大岛造船厂一年 20 条船全在框架里制造,设备固定,定位作业。

6.实现 100%的核监制质量管理,节点固定。

7.明确作业标准　时间、方法、工具、顺序都有明确规定,避免因人水平因素造成的差异。

8.制作检查　在大岛造船厂,每 1.3min 制造一个零件,一天进行大于 4 工时的焊接,每天等产品完工后检查就来不及,如切割后发现缺陷,损失就大了。因此,一边作业,一边检查,是最彻底的检查。大岛造船厂检查工只有二个,只是起联系船东与船检作用,实行自主管理，自主检查，船东只是试航时来检查（日本船东），香港船东不检查分段，因为他们已经很相信船厂一边作业，一边检查的结果了。

9.现场综合管理　质量安全第一，日工作量不是第一，要求做到：整理（不要的东西丢掉）、整顿（工具回家时放好）、清扫（作业场地），复合工种化（多面手），壳、舾、涂一体化小合拢作业。

第二节　壳、舾、涂一体化管理技术发展概况

日本专家在论述"未来的造船厂"时提出，把船厂中的"人"从繁重和肮脏的体力劳动中解放出来，改进作业方法，将"劳动力密集"产业转变为"设备密集"和"头脑（知识）密集"的产业。这种思想就是壳、舾、涂一体化管理技术的萌芽。

1992年，沪东造船厂制定了《推行壳、舾、涂一体化造船法实施方案和推进计划》称："转换造船生产管理模式，以推行壳、舾、涂一体化为突破口，实施区域造船，深化生产设计，强化舾装件集配，提高总段组装和预舾装率，减少二次除锈和涂装，以进一步缩短造船周期"。指导思想是"以船壳为主体，以舾装为中心，以涂装为重点"，并不突出各自为大，而要体现综合效能。而且设计、集配和生产组织均要树立全局观念，充分体现工作的同步性和协调性。

"以船壳为主"，就是全船尽最大可能研究和采用立体总段建造工艺，例如：底部总段，舷侧D，C型总段，甲板和隔舱合成T型总段，全宽甲板总段，上层建筑整组，双层底分段按盆舾装总组等。

"以舾装为中心"，就是船壳设计充分考虑舾装的方便性和完整性，采用单元、分段、总段和盆舾装工艺，提高区域预舾装率。

"以涂装为重点"，就是千方百计减少二次除锈和涂装，按区域、工艺阶段做到涂装工作逐步完整，形成作业标准；实施油水舱在船台涂装并封舱；研究船舶下水后不进坞涂装措施等。

壳、舾、涂一体化区域造船，是应用生产设计成组技术原理、方法，以中间产品为导向，按区域组织生产的现代先进造船方法，壳、舾、涂一体化区域造船法，旨在最大限度地应用先进的设计、工艺、管理技术，使船体建造工艺流程合理化，努力提高分段预舾装率，力求避免由于分散的交叉的舾装作业引起涂膜损坏而造成的多次除锈、涂装，实现船体、舾装、涂装等工作在空间上分道，在时间上有序，互不干扰，相辅相成。从而达到提高生产效率，缩短周期，增加经济效益的目的。

壳、舾、涂一体化是当前先进造船厂已经基本实现的最高水平的造船技术，即最现代化的造船模式。

第三节　控制弯管质量，提高经济效益

管系生产涉及到造船的众多环节，将影响全船的生产和质量，弯管是管系生产的关键环节，因此，弯管质量与生产进度直接影响工厂生产目标的实现，必须优先给予保证。

面对激烈的市场竞争，武昌造船厂根据其现状，以保证产品质量，提高经济效益，采取有

效措施，革新设备，采取先焊后弯等新工艺，逐步建立全船管系计算机三维放样和管子加工流水线及自动化管子加工车间，在降低弯管废品率和各种消耗，提高企业经济效益上狠下工夫，根据管系生产主要面对的质量问题如下：

1.弯曲角度超差；

2.高度超差；

3.椭圆度超差；

4.图纸误差。

分析造成以上问题的主要因素是：

1.胎具间隙大；

2.材料弹性不同；

3.产生滑车现象；

4.管芯不标准。

可采取如下解决的办法：

1.校正胎具，角度尺找正，控制胎具位置；

2.测定有关材料的反弹数据；

3.缩小起弯点；

4.进行管芯符合情况复核。

为改变原来的落后面貌，武昌造船厂大力发展了以下技术：

1.造船生产设计技术；

2.壳、舾、涂一体化技术；

3.数控等离子切割技术；

4.精度造船技术；

5.广泛采用 CO_2 气体保护焊技术；

6.角焊缝半自动焊接技术；

7.数控弯管技术。

船舶管系设计制造工作是舾装工程中比较繁杂的工作，其设计制造的自动化和加工流水线化是发展的必然趋势，有人认为中国劳动力便宜，没有必要搞那些高效的设备，这种观点是十分错误的。如我们对 CO_2 半自动焊机应用的成本分析发现，应用该设备不仅提高了生产效率和质量，而且成本也下降了。而日本造船企业在过去三年半时间里，将造船成本削减 20%，其中主要依靠的就是采用新技术、新设备。

习　　题

1.日本大岛造船厂的先进造船法有那些特点？

2.日本大岛造船厂主要在哪些方面取得了成效？

3.壳、舾、涂一体化管理技术发展概况呈现什么特点？

4.为什么说控制弯管质量，可以提高经济效益？

第八章　船舶管路制造的操作技术与技能

管路的制造，首先是管件制作，然后是与附件连接。围绕管件制作的工作有单管预制图的绘制，下料、管子弯曲，管子与连接件的焊接，管子现场液压试验及制作后处理等。

第一节　管件的种类与单管预制图的绘制

一、管件的种类

船舶管路是某一系统中管件和附件的总称，并且每一管路都有它不同的名称。如燃油管路、滑油管路、消防管路和暖气管路等。

管路是系统重要组成部分，它与机械、设备或者器具构成系统；管件是管路主要的组成部分，与附件（连接件和阀件）形成管路。管件按材质分类有黄铜管件、铝黄铜管件、铝管件、合金钢管件和非金属管件等；按加工成形状分类，有普通形状管和特别形状管。特别形状的管种类较多，常见的有圆柱盘簧管、蛇形盘管、椭圆形管、多层圆柱管、环管、折皱管和马蹄形管等。

二、单管预制图的绘制

根据船体线型、船体结构、主辅机安装位置和各种机械设备安装的位置绘制出船舶的管路敷设图，称为船舶系统放样安装图，然后将每根管子几何形状及连接件的组装按比例尺寸摘录绘制出来，这就是单管预制图。加工时就是根据这个单管预制图进行每根管子的弯曲、照样、焊接和强度试验等工作。单管预制图是用折线、符号和数字来表示管子的各种空间形状及尺寸。

每一系统的单管预制图为一部分，注明该系统中各种管子的口径、壁厚、需要量、系统图号、管子编号和管子制作的技术要求等。这样比用样棒制作管子准确、速度快和质量好，可以大大提高管子的预制数量，缩短整个造船周期，减轻工人的劳动强度。

1.管子空间形状的表示方法

在单管预制图上，管子的空间形状是用线段、圆和圆弧来表示的，见图 8－1。

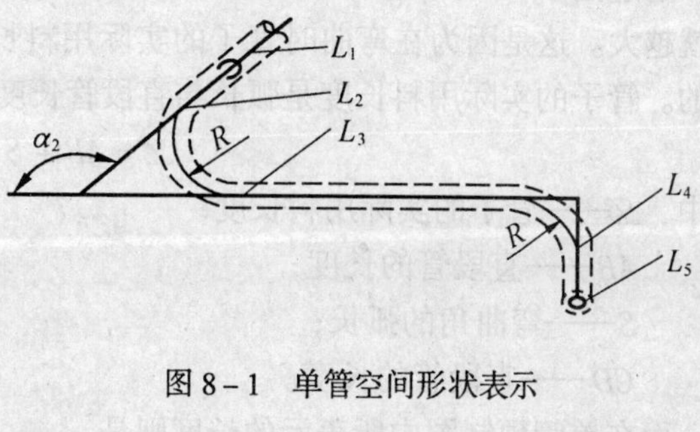

图 8－1　单管空间形状表示

图中虚线部分是表示单管制作后在空间的实际情况，实线是把管子的空间形状表示在单管预制图上的方法。从图 8－1 可以看出决定管子的空间几何形状有如下几个因素：

(1)弯头之间的长度

管子弯曲角与弯曲角之间的长度及单管的始端到第一个弯曲角,最末一个弯曲角到单管末端的长度,这三种长度称为每段管子的身长。由于用直线来表示单管的空间形状,所以每段管子的身长就是该段管子与相邻一段管子轴线的相交点之间的长度。

(2)弯头的角度

在单管预制中,我们把弯头弯曲的不同角度叫做弯曲角,又叫圆心角。弯管机的弯管胎模是一个整体,最大弯曲角度为180°,若弯曲角大于180°弯好的管子则无法从弯管胎模上取下来。所以单管的弯曲角 α 则应当是 $0° \leqslant \alpha \leqslant 180°$。按照通常的习惯,在确定管子的弯曲角时是依照弯管机弯管胎模转动的角度来确定的。见图8-1中的弯曲角 α_2。

(3)空间转角

从图8-1中我们还可以看到,管段 L_3 和管段 L_4 之间的弯曲角 α_3 与管段 L_3 和管段 L_2 之间的弯曲角 α_2 不在一个平面上,就是在弯曲 α_2 之后,弯曲 α_3 时,以管段 L_3 为轴使 L_2 段旋转了一个角度。通常把这两个弯曲角弯曲时相对转的角叫做转角,记作 φ。为了区别旋转的方向,以顺时针的旋转为顺转,用"+"表示,或可以省略不写,以逆时针方向的旋转为逆转,用"-"来表示。

在单管预制图中确定了弯头之间长度、弯头的角度和空间转角这三个数据,就可以弯曲出符合实际要求的单管空间形状。管段的长度用数字来表示,单位以毫米计算。各种不同的弯曲角在单管预制图上符号的画法见图8-2。由于单管预制图是以折线画法表示,因此船舶管路中不同的连接件就不能以立体图来表示,必须以简单的各种类型画法来表示各种不同的连接件,其画法见图8-3。各种支管和焊接座也必须以不同的画法和图号等来表示,其画法见图8-4。

图8-5是表示各管段之间的水平高差。$H0$ 表示管段 L_1 为基准水平,高度为零,$H100$ 则表示管段 L_3 比管段 L_1 水平高度高100mm。若管段 L_3 为 $H-50$,则管段 L_3 比管段 L_1 水平高度低50mm。图中 S 表示在管段 L_3 抬高后,管段 L_1 与管段 L_3 垂直投影的距离。

2.根据单管预制图确定单管料长

单管预制图中的各管段的长度是以管段与相邻管段轴线延长的相交点之间的距离来确定的,但各管段的长度和并不等于每根单管的实际用料的总长度,如图8-6。

通过图8-6可以看出弯曲角 α 大,则管段的长度越大,而与管子的实际用料长度相差也就越大。这是因为在弯曲时管子的实际用料长度是根据胎模弯曲半径沿管子轴线 Y 进行的。管子的实际用料长度是弧长与直段管长度的和,即

$$\mathscr{L} = AB + S + CD \tag{8-1}$$

式中 $\mathscr{L}$——管子的实际用料长度;

AB——直段管的长度;

S——弯曲角的弧长;

CD——直段管的长度。

而在单管预制图中所表示的长度则是

$$L = AC' + DC' \tag{8-2}$$

式中 L——各管段沿轴线相交点长度之和;

AC'——轴线相交点的管段长度;

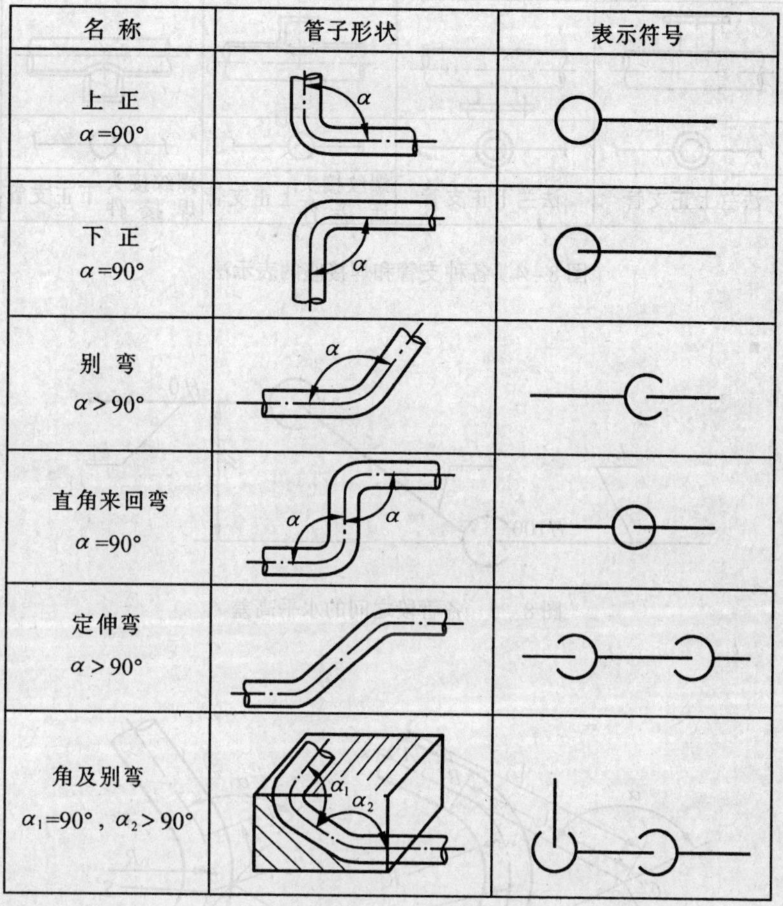
名 称
管子形状
表示符号
上 正
α=90°
α
下 正
α=90°
α
别 弯
α>90°
α
直角来回弯
α=90°
α
α
定伸弯
α>90°
角及别弯
α₁=90°，α₂>90°
α₁
α₂

图 8-2　各种不同的弯曲角表示符号

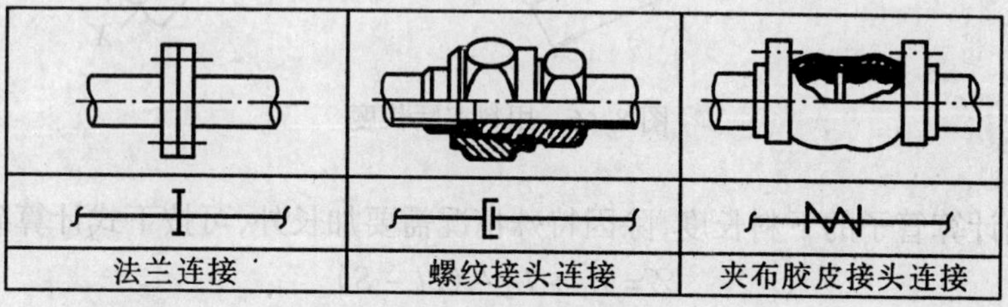
法兰连接
螺纹接头连接
夹布胶皮接头连接

图 8-3　各种不同连接件的表示法

DC'——轴线相交点的管段长度。

因此它与管子的实际用料差就是

$$\upsilon = l_1 + l_2 - S \tag{8-3}$$

式中　υ——余量；

l_1——切线长；

l_2——切线长；

S——弯曲角的弧长。

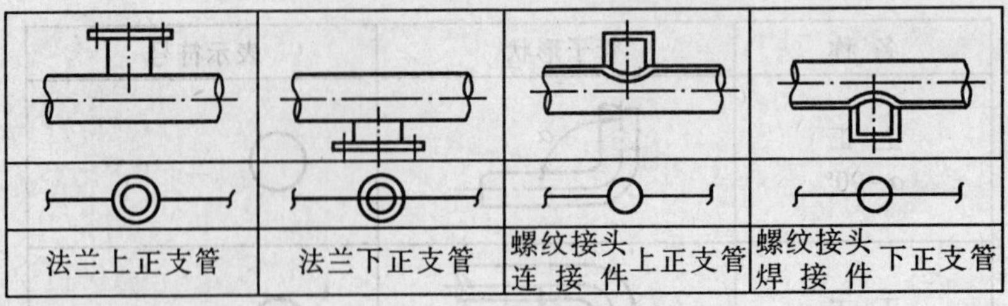

法兰上正支管
法兰下正支管
螺纹接头连接件上正支管
螺纹接头焊接件下正支管

图 8-4　各种支管和焊接座的表示法

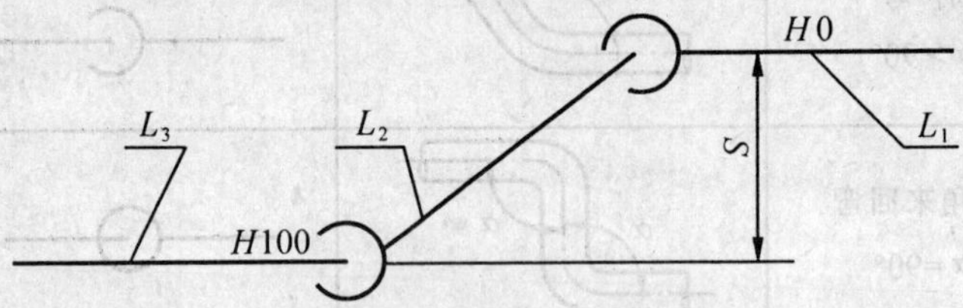

图 8-5　各管段之间的水平高差

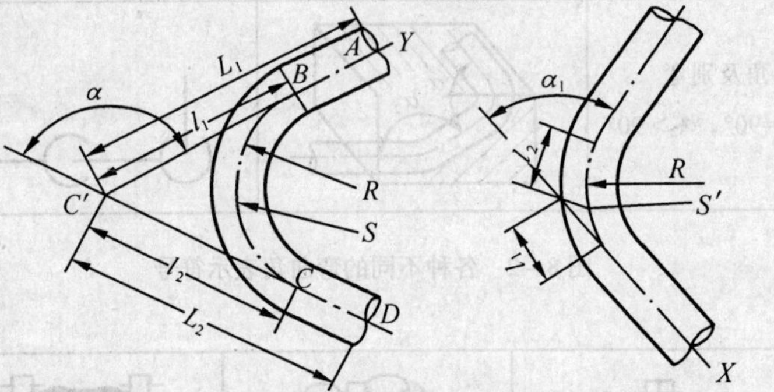

图 8-6　用料实际长度

为了正确计算管子的下料长度，除因特殊情况需要加长外，可按下式计算确定料长

$$\mathscr{L} = L_1 + L_2 - (2l - S) \tag{8-4}$$

式中　$\mathscr{L}$——管子的实际用料长度；

L_1——单管预制图中沿轴线相交点的长度；

L_2——单管预制图中沿轴线相交点的长度；

$2l$——两个切线长；

S——弯曲角的弧长。

上述式中的 L_1 和 L_2 在单管预制图中是通过放样测量而取得。S 和 l 值可通过下式取得

$$S = (\alpha \cdot \pi \cdot 2R)/360 \tag{8-5}$$

式中　S——弯曲角的弧长；

α——弯曲的角度；

π——圆周率；

R——弯曲半径。

$$l = \tan(\alpha/2)\cdot R \tag{8-6}$$

式中 l——切线长；

α——弯曲的角度；

R——弯曲半径。

已知切线值和弧度值，即可取得余量。余量通过下式取得

$$\upsilon = 2l - S \tag{8-7}$$

式中 υ——余量；

l——切线长；

S——弯曲角的弧长。

为了计算加工管子料长方便起见，可根据不同的弯曲半径，计算出各种角度的切线值、弧度值和余量值，列成弯曲角切线、弧长、余量表，如表 8-1。计算管子的实际用料时，把各段管沿轴相交点的长度相加起来，再减去弯曲角度的余量，便可得到单管所需要的实际下料长度。

表 8-1 管子弯曲角切线、弧长和余量

管径 $\phi=44$				弯曲半径 $R=120$			
角度(α)(°)	切线(l)(mm)	弧长(S)(mm)	余量(υ)(mm)	角度(α)(°)	切线(l)(mm)	弧长(S)(mm)	余量(υ)(mm)
1	1	2.1		45	49.7	94.1	5.3
2	2.1	4.2		46	50.9	96.3	5.5
3	3.1	6.2		47	52.1	98.3	5.9
4	4.2	8.4		48	53.4	100.5	6.3
5	5.2	10.4		49	54.7	102.5	6.9

3.单管预制图的绘制

单管预制图的绘制是在船舶系统放样安装图的基础上，将每根管子几何形状及连接件的组装按比例尺寸摘录绘制出来的。如图 8-7 所示，绘制好的图必须注明如下几点：

(1)船名、船舶系统图号和系统名称；

(2)第×页、共×页和件号；

(3)弯曲半径、弯曲角顺号、度数、管段长度和转角；

(4)管子规格、数量和材料；

(5)下料总长和支管料长。

船名:15000t 油轮　　系统:海水消火　　第 10 页共 31 页

件号:5	规格:108×4	数量:1	材料:10#	半径:27.5

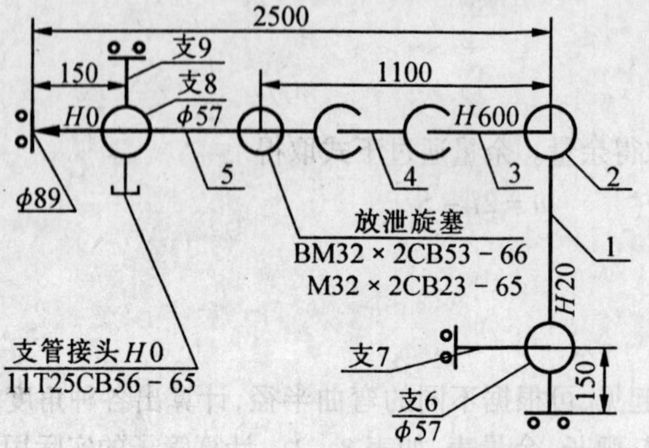

顺号	长度	转角	曲角
1	900		90°
2	600	90°	90°
3	600		67°
4	671	180°	67°
5	1 600		
支 6	600		90°
支 7	200		
支 8	300		90°
支 9	200		

料长 $\phi 108\times4=3\ 803$

$\phi 89\times4=0.2$

$\phi 57\times3.5=1\ 148$

图 8-7　单管预制图

图中规格，一般按主管的外径及壁厚为准，支管规格可直接列入图中标注。焊接件、支管接头、法兰和其他附件均要注明名称、通称口径和标准图号。

为了施工方便，有的单管预制图除需标注清楚外，同时还需要绘制不同方向的侧视图。

第二节　管件制作工艺

一、下料

下料是管件制作的第一道工序，下料前应该核实管子的材料牌号、规格，并对管材的外观质量进行检查，不使用不合格的管子，下料时应适当放余量，以便弯曲后进行二次切割。下料前应仔细、合理进行套料，以便提高材料利用率。

对 D_N80 以下的钢管采用砂轮锯切割；D_N80 以上的钢管采用锯床锯断或氧割切断，但氧割后必须去掉氧化铁渣和飞溅物；有色金属管及 HDR 不锈钢管应采用机械或手工锯切断。

二、管子的弯曲

管子的弯曲可用冷弯或热弯的方法，管子的弯曲半径应符合管子零件图的规定，弯曲半径 R 一般应保证 R/D_W 不小于 2.2，对于 HDR 钢管应保证 R/D_W 不小于 2.5（R - 弯曲半径 D_W - 管子外径）。

1.冷弯

管子冷弯应在弯管机上进行。按需弯曲管子的规格，配以同样规格的弯管盘、滑块夹头、塞规等附件。弯管形状角度、转角应符合图纸规定，以便减少校正次数。紫铜管冷弯前应进行退火，退火温度为550±50℃。

塞规应小于管子内径：

管子内径<50mm	塞规应小于管子内径的0.5~1mm
管子内径50~100mm	塞规应小于管子内径的1mm
管子内径100~200mm	塞规应小于管子内径的1~1.5mm

对于HDR不锈钢管，塞规应小于管子内径0.5~0.8mm

弯管盘的圆槽直径 d_w 应稍大于管子外径(D_W 为管子外径)：

$<\phi 50$mm的管子，	$d_w = D_W + 0.5$mm
$\phi 51$mm~$\phi 75$mm的管子，	$d_w = D_W + 0.75$mm
$>\phi 75$mm的管子，	$d_w = D_W + 1$mm

管子冷弯前，内壁应涂上一层润滑油，以便于弯制。弹性角视弯曲角的大小来确定。控制弯管角度时应考虑管子回弹角度，使管子回弹后其弯角的度数符合图纸要求。

2.热弯

管子热弯可采用灌砂加热弯曲或在中频弯管机上弯曲。当采用灌砂弯曲时，管子应填充质量符合有关规定的砂子，填砂后，用木榔头轻轻敲击管子，直至砂子填实为止，再用木塞塞紧。管子按图纸或样棒用粉笔或石笔划出弯曲始点和终点。

弯曲时注意控制温度，钢管在900±100℃，铜管在800±50℃，HDR不锈钢管在1000±50℃。

对于$\phi 42\times 4$HDR不锈钢管，管子的弯角<60°时，应适当加长加热段的始点与终点(加长40mm左右)。弯角大加长少，弯角小加长多，防止管子褶皱。

对于$\phi 42\times 4$HDR不锈钢管子需用大口径的氧乙炔焊炬对其加热，用较短的时间来完成每一个弯头的弯曲。

HDR不锈钢管弯曲时用力要均匀，以使管壁的伸长和收缩比较均匀。为保证HDR不锈钢管弯曲时形成的圆度，管子必须比所要弯曲角度稍大(多弯3°~5°)，然后校正到与所弯的弯角一致。HDR不锈钢管弯曲产生的褶皱在弯曲过程中用紫铜锤敲平，但修整时温度不低于950℃。

当用灌砂法热弯时，管子弯曲完毕后，将砂子倒尽并用压缩空气吹净。

3.HDR不锈钢管的热校

HDR不锈钢管热校温度应保持在950~1050℃范围内。终校时温度不得低于950℃。HDR不锈钢管的热校时间不宜过长，同一部位热校角度不宜过大。同一个弯角热弯次数一般不大于三次，尤其应避免在同一部位反复热校，热校后的管子可进行水冷或空冷。

4.弯曲后的质量检查

弯曲处的外观质量应符合以下要求：

(1)管壁不得有裂纹、结疤、烧伤、分层等缺陷，如有上述缺陷存在应消除，被消除部位的壁厚的减薄，应在规定的减薄率范围内。

(2)弯曲后的管子圆度应符合表8-2，圆度按下式计算

$$\Delta = (A - B)/D_W \times 100\%$$

式中 D_W——管子外径,mm;

A——弯曲处截面最大外径,mm;

B——弯曲处截面最小外径,mm。

表 8-2

弯曲半径 R	$R \leqslant 2D_W$	$2D_W < R \leqslant 3D_W$	$3D_W < R \leqslant 4D_W$	$R > 4D_W$
圆度 $\Delta\%$	≤10	≤9	≤7	≤5

(3)减薄率不大于 $D_W/2.5R \times 100\%$,实际减薄率按下式计算

$$\varepsilon = (t - t_1)/t \times 100\%$$

式中 t——弯曲前的管壁实际平均厚度,mm;

t_1——弯曲后的管壁最薄处平均厚度,mm。

(4)褶皱高度

管子弯曲后允许有均匀褶皱存在,但高度不得超过管子实际外径 4%,有褶皱处不得有目测可见的裂纹。

三、特种管件的弯制

特种管件通常是指特种管材管件和特别形状管件。特种管材管件一般是指无缝钢管等碳素钢管和紫铜管等以外管材的管件,如铝黄铜管、铝管和合金钢管等。特别形状管件一般是指圆柱盘簧管、蛇形盘管、椭圆形管、多层圆柱管、环管、折皱管和马蹄形管等。

1.特种管材管件的弯制

各种管材在机械冷弯时工艺大致一样,只是在弯曲时要灵活掌握夹紧度,注意弯曲中的椭圆度,避免滑动和断裂现象出现。

(1)铝黄铜管在机械冷弯中,因管壁较薄,表面光滑,夹紧时易瘪,不夹紧时易滑动,因此在夹具与管壁之间要衬垫破布防止滑动,弯曲时要选用较大 R 的弯管盘,弯曲后要进行修复椭圆度的工作。

(2)铝管包括熟铝管和生铝管,熟铝管较软,易于弯曲;生铝管较硬,弯曲时易断裂,因此生铝管在弯曲前须低温退火方能进行弯制。

(3)合金钢管在热弯时,应注意加热温度和弯制用力均匀,同时严禁喷水冷却,必须风冷。

(4)大口径的厚壁紫铜管,在中频弯管机上进行弯曲,由于退火后变软,弯前必须灌砂,弯后消除折皱。

2.特别形状管件的弯制

特别形状的管件绝大部分是用人工手弯。手工弯管通常是在弯管机上不能弯制的形状特别的管件,手工弯管因管径的大小与壁厚或弯曲半径的大小可分为手工冷弯和手工热弯两种。

手工冷弯通常只弯管径小且管材软的管件,手工热弯可弯制各种形状的管件。管壁厚度在 4mm 以上且弯曲半径大的管件可不灌砂弯制,否则必须灌砂。灌砂时要敲紧木塞,所灌之砂应是专用砂子并要均匀干燥、不含有杂质。

(1)圆柱盘簧管的制作时，应按弯曲直径的大小制作工装弯模，作为工装弯模的大直径圆钢筒，筒内需多加辅材支衬以增强强度，压力蒸汽蒸发器管因要作通球试验，应灌砂弯制，液压管不许灌砂湾制；管内是否需灌砂通常根据弯曲直径大小、管径大小、管壁厚度和管材牌号而定。作为工装弯模的筒体应能转动。在弯曲加工时，温度应控制在 800℃左右为好，加热长度在 100 ~ 150mm 间，勿过长；管端的起点在管件与筒体接触部位向上 10mm 左右，筒体转动时与未弯的管段加力相反，用力不宜过猛，应用匀速而缓慢的力，弯曲部分紧贴筒体，否则难以保证直径要求。

(2)在某些管件加工中，弯曲半径受弯模的限制，弯曲半径小于弯模，不能达到图纸的要求。在弯曲小于弯模半径的管件时，为了保证质量，克服不能加工的难度，通常的办法是先借用弯管机上的现有模具弯曲，在基本成型后再用手工热弯达到最后定型要求。例如，ϕ89 的钢管，机械弯模最小 R 为 180mm，而某产品的某一管件需弯曲半径为 180mm 的 180°弯曲形状的管件，在加工此管时，首先要计算 R180 弯曲 180°所需弧长为 565mm，折算 R200 的弯模最大只能弯 160°，所以 ϕ89 的管子在弯管机上 R200 弯曲 160°，然后再灌砂，将弧长 265mm 部位加热至 800°左右，达到管壁红、管内砂热的程度，在管壁红时不能急于弯，应将加热乙炔枪在管壁上快速来回摆动，这样管壁不易氧化，管内砂能均匀受热，弯曲时搬动速度要均匀，防止起瘪现象，若有内壁折皱，应及时敲平再弯。管件弯头焊后需再弯时，必须重新灌砂并敲紧和塞紧木塞。

四、管件的装配

管子的装配前应根据管子零件图仔细校对弯曲后的形状是否符合要求，必要时应进行适当校准（HDR 不锈钢管在船上试装时两管接头处的偏移不大于 1mm），并上船实地试装划出支管位置和管端余量线，将余量切除。

1.法兰的装配

所装法兰的型号、规格必须符合图纸的规定。对焊钢法兰其焊缝坡口及缝隙大小必须符合有关规定，搭焊钢法兰必须预留封口焊的位置，为此管端口应缩进法兰平面一个距离 K。

$$K = 1.5 + t\text{mm}$$

式中 t——管子壁厚；

K——管端至法兰平面的距离（K 不得小于 5mm）。

铜法兰或铜环与紫铜管装配时，管端必须伸出法兰平面一定距离，以便辘边。装配后作好定位标记。

2.支管的装配

支管的位置、形状、尺寸必须符合图纸要求。支管的开孔：钢管小于 ϕ25 的孔应使用钻床加工，大于 ϕ25 的孔用氧割切割，但割后必须去净氧化铁渣和飞溅物。紫铜管的开孔应用钻、凿、锉、气刨或机械的方法进行。支管马鞍口的加工：无论是垂直支管，倾斜支管或弯支管，马鞍口必须通过放样划出切割线。钢管可采用氧割切割，铜管应用锯、凿、锉、气刨或机械方法切割。马鞍口必须与主管吻合，间隙的不均匀度应小于 2mm。马鞍口必须去净氧化铁渣和飞溅物。

3.钢支管的装配

其焊缝坡口和间隙应符合图 8 – 8 的要求，装配后在四周均匀点焊 3 ~ 4 点。

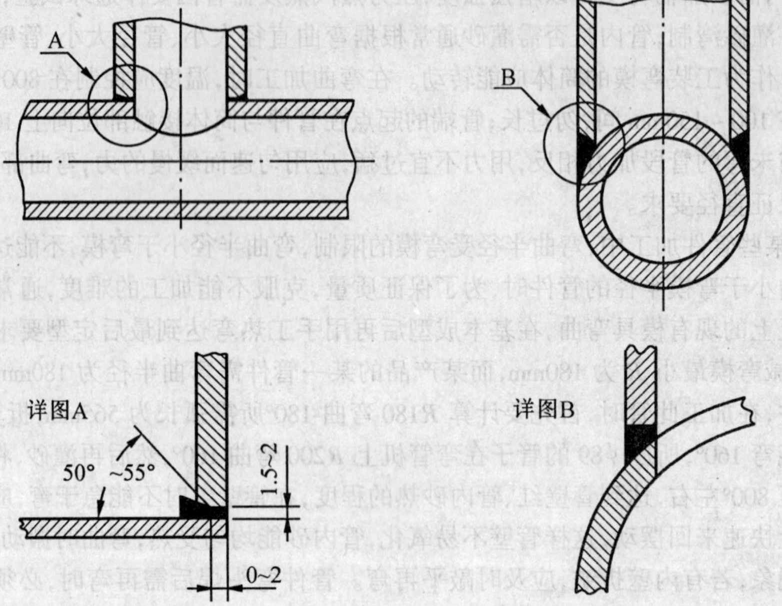

图 8-8　钢支管焊缝坡口和间隙图

4. 铜支管的装配

用铜管作支管，且 $D_N \geqslant 38$mm，采用钎焊连接的应在主管孔上翻边，如图 8-9 所示；支管插入的深度不得减小主管的流通面积。采用紫铜电弧焊的应按图 8-10 进行装配。

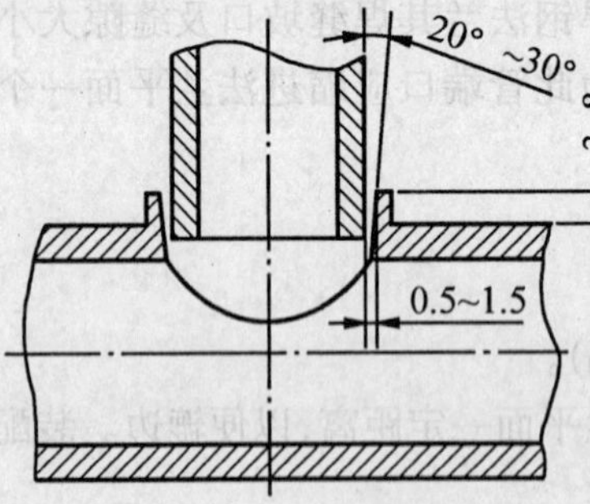

图 8-9　铜管作支管采用钎焊连接装配图

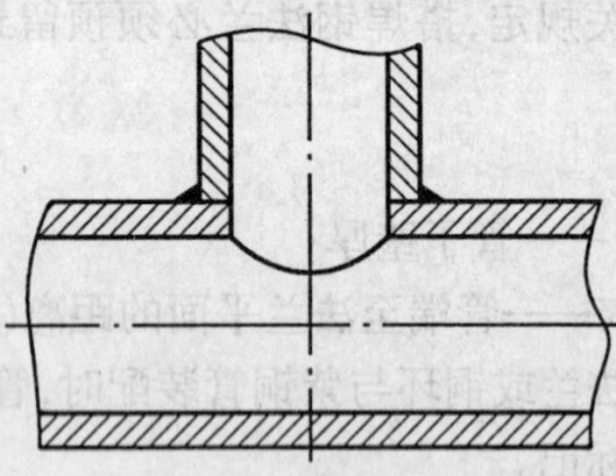

图 8-10　铜管作支管紫铜电弧焊装配图

5. 钢管对接焊缝的装配

钢管对接焊缝的装配应按图 8-11 所示，焊口应磨光无氧化皮和油污，装配时在四周均匀点焊 3～4 点。预埋管对接时，先用氩弧焊封底，再用手工电弧焊焊接。焊缝须经 100% 超声波探伤，按 JB4730-94，Ⅱ级检验合格。

6. 套筒的装配

套筒的装配时，管端插入套筒的深度如图 8-12 所示，插入后在外搭焊处点焊 3～4 点。（根据管径大小来确定 L 长度，L 在 100～150mm 之间）。

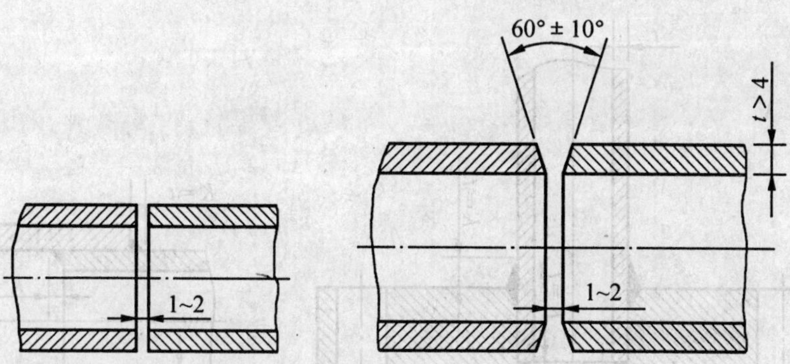

图 8 - 11　钢管对接焊缝的装配图

7. 螺纹接头的装配

螺纹接头的装配，应按图纸要求注意认清型号、规格。支管螺纹接头的装配可参照图 8 - 8 进行。

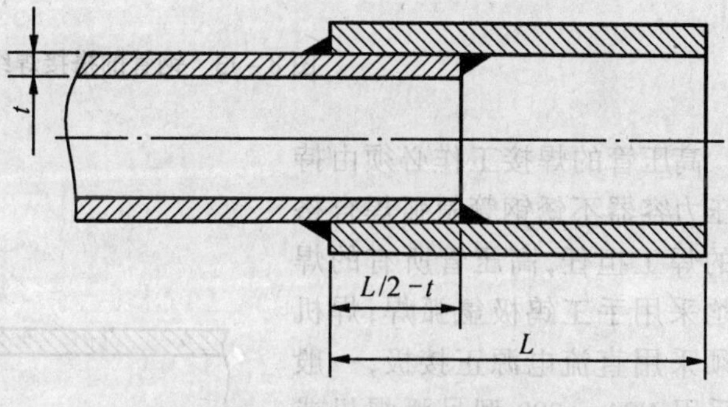

图 8 - 12　套筒的装配图

管件装配时通常都是点焊，一般电弧焊点焊时均采用 ϕ2mm ~ ϕ3mm 的焊条，焊在根部，焊缝长度不得超过 15mm。在四周均匀点焊 3 ~ 4 点，不允许有偏移。HDR 不锈钢管采用奥 507 焊条点焊前，应将管子端面锉平、倒坡口，坡口的大小必须符合要求。HDR 不锈钢管端面 20 ~ 30mm 及接头内的污点需清除，点焊的焊缝高度不得超过焊件厚度的 2/3。焊缝不得有气孔、裂纹等缺陷。

五、管件的焊接

1. 钢管的搭接焊

搭接焊可用手工电弧焊焊接，如图 8 - 13 所示，焊缝高度为管壁厚度，同时外观不得有气孔、夹渣、裂纹，咬边深度不得超过 0.2mm。不得残留有焊渣和飞溅物。焊条根据管子材质分别选用船焊 40A 或船焊 395。

2. 钢管的对接焊

钢管的对接焊焊缝尺寸按图 8 - 14 所示，对于燃油、滑油管系的对接焊，采用 CO_2 气体保护焊封底。同时外观不得有气孔、夹渣、裂纹，咬边深度不得超过 0.2mm。不得残留有焊渣和飞溅物。

3. 铜管的焊接

铜管采用氧乙炔钎焊或紫铜电弧焊，焊前必须将焊接部位清洁干净，并用砂纸磨去氧化皮露出金属本色。焊接后焊缝必须饱满，不得有气孔、夹渣、裂纹等缺陷。钎焊丝采用 HSCuZn - 1（即牌号 221）。紫铜管电弧焊采用 TCu 焊条（牌号铜 107，即上焊 80）。

4. HDR 不锈钢管的焊接

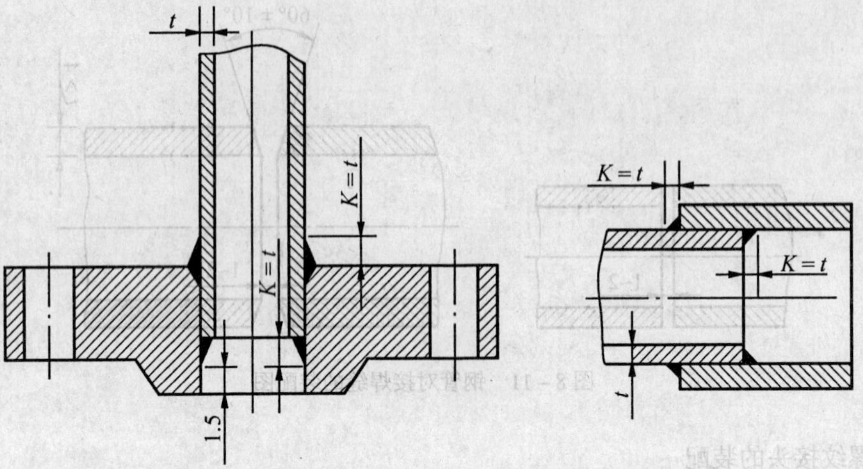

图 8－13　钢管的搭接焊结构图

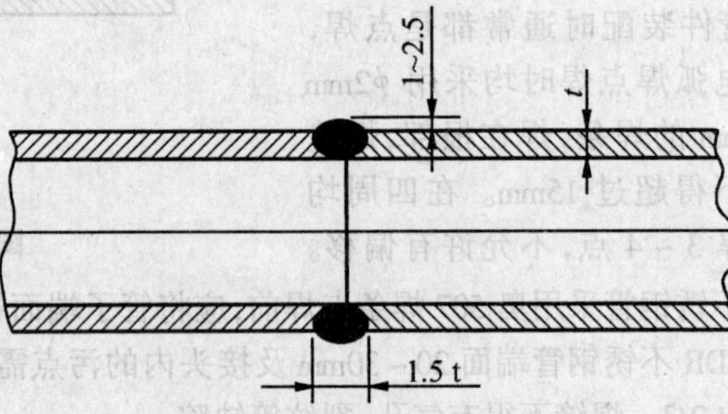

图 8－14　钢管的对接焊结构图

高压管的焊接工作必须由持有压力容器不锈钢管氩弧焊合格证的焊工担任，高压管所有的焊缝均采用手工钨极氩弧焊，焊机必须采用直流电源正接极，一般可采用 NSA－300 型号弧焊机或陡降外特性的直流电焊机和装有控制电焊机运转及输送氩气的控制箱。焊机的引弧、稳弧特性好，焊接过程中参数稳定，调节方便，水气供应系统安全可靠。

HDR 不锈钢管的焊缝焊接，焊前应清理，焊前将管子坡口端 20～30mm 内用丙酮清洗干净，其表面应无水、无油、无氧化物等污物。管子点焊固定，点固焊时采用奥 507 焊条，点固焊缝高度应不超过焊件厚度的 2/3。所有的点焊缝不应有气孔、裂纹、夹渣。不合格的点焊缝必须清除干净后再焊接。

HDR 不锈钢管的焊接选用超低碳铬 25 镍 6 钼 2 不锈钢焊丝进行焊接，焊丝牌号为 00Cr25Ni6Mo2，规格为 ϕ2mm～ϕ3.2mm。手工钨极氩弧焊采用的氩气纯度应不低于 99.9%，并符合 GB4843 规定。钨极直流氩弧焊接时，建议采用铈钨或钍钨电极，钨极端部应磨成夹角 $\alpha = 60° \sim 90°$，钨棒规格为 ϕ2mm～ϕ3mm。

HDR 不锈钢管的焊接坡口型式、焊缝尺寸按图 8－15 所示，氩弧焊焊接按表 8－3 所示。焊接时应采用快速且速度均匀、窄焊道，使焊缝处于稳定状态，以防止不锈钢焊接接头过热产生热裂纹，并避免未焊透等其他缺陷。多层焊时，每焊完一层需彻底清除表面缺陷，并对焊缝进行仔细检查，且等前层焊缝冷却后（＜60℃），再焊接下一道。封底施焊时，需向管内充氩气保护，焊接时用锥形木塞将两端塞紧，木塞的一端从中心钻一个小孔，用塑料软管一端接入氩气，另一端穿入小孔向管内通入氩气，可以加强、保护、改善焊缝内面成型。当焊接中断或结束时，焊枪必须在结束处停留一段时间，继续送气直至焊缝冷却方可移开焊炬，同时采用电流衰减，以改善收尾弧坑处的焊缝质量。

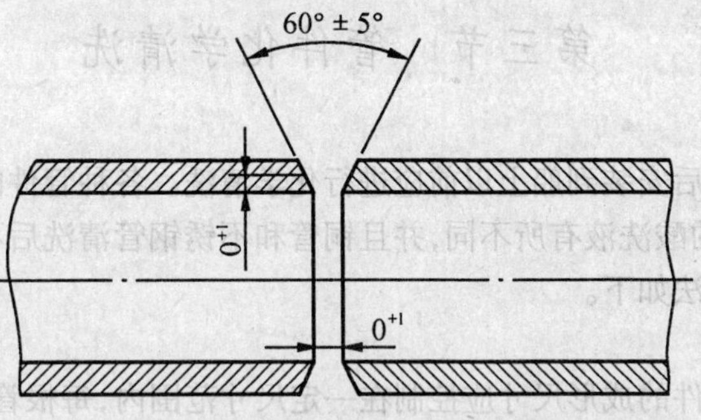

图 8－15　HDR 不锈钢管的焊接坡口型式、焊缝尺寸图

表 8－3

接头型式	焊件厚度	钨极直径	钨极伸出长度	喷嘴直径
管对接	3～4mm	2～3mm	3～5mm	12mm
焊接电流 A	焊接电压 V	氩气耗量 升/分	焊接层数	焊接位置
80～90	17～20	6～8	第一层自熔 第二层填丝	水平滚动

六、管件的内场液压试验及制作后处理

管件焊接后，应对焊缝、密封面处进行处理磨光，磨去焊瘤，清除焊渣及飞溅物，保证密封面密封，并做好标记。在清理完成后，进行内场液压试验。

1. 管子及附件的内场压力试验

内场液压试验的试验介质一般为水，内压试验中，除高压管及外径 ≤ ϕ14mm 的管子允许单根内压试验外，其余管段可按舱室（或系统）将相同压力级别的部分管段串联起来进行试压。试压时先通过注水的方式排除管内空气，注满水后逐步升高压力，达到试验压力后，稳压 3～5min，仔细检查管子附件及焊缝有无泄漏。试压时，若发现焊缝有泄漏现象应先泄压、排水后进行补焊。经补焊后应再次进行压力试验。合格后在标识牌上打上标记。外压试验应在外压试验设备中进行，在达到试验压力后应稳压 15～20min。

2. 制作后处理

（1）管件的化学清洗

管件在安装前应进行化学清洗，以便使管内的杂质（铁锈、油污等）加以清除。化学清洗应按相应的清洗工艺规程进行，管子清洗后，两端应妥善封闭，防止重新污染。

（2）管件的镀锌与油漆

管件制作后的镀锌和油漆，主要是使管件表面加上保护层，防止管件表面的锈蚀而产生氧化皮等杂质随着流体进入系统损坏机件和缩短使用寿命。热浸镀锌，按 GB/T13912－92

执行;对有些管件允许采用电镀锌。管子的内场油漆管件应在泵水或清洗后涂刷底漆、识别油漆(空调、冷藏系统制冷管除外)。

第三节　管件化学清洗

管件在加工完毕后安装到船上以前应进行化学清洗。各种管件的化学清洗方法基本相同,但不同管材所用的酸洗液有所不同,并且铜管和不锈钢管清洗后不涂保养油。管件化学清洗的基本步骤和方法如下。

1.管件的要求

进行化学清洗管件的成形尺寸应控制在一定尺寸范围内,每根管件90°弯头不得超过三个,以保证清洗干净;管件焊接处不许有漏焊,气孔、焊渣、毛刺在化学清洗前必须清除干净,否则交上道工序返工;制造合格的管子报检后入库,在安装前的一星期内由安装管工领出交送清洗,清洗后至安装过程中注意保持管内清洁,做到尽快装船。

2.管件装挂

需清洗的管子逐根缠丝装挂在吊架上,注意避免管件大面积叠合;弯管吊挂时应将弯曲部分向下,保证空气能够逸出,管内壁全部浸到槽液,避免出现死角。

3.化学除油

除油液加温至沸腾时,应立即停止加热,同时给液面添加少量冷水使液温稍降,防止碱液溢出。除油过程中吹入压缩空气,帮助除油液翻动,以提高除油效果;为保证管内腔除油质量,除油过程中提起吊架1~2次以更换管腔溶液。

除油液的配方及工艺参数如下:

氢氧化钠　　(NaOH又名苛性钠)工业60~100g/L;

碳酸钠　　(Na_2CO_3 又名苏打灰)工业20~40g/L;

磷酸三钠　　($Na_3PO_4.12H_2O$)工业30~60g/L;

水玻璃　　(Na_2SiO_3)工业2~4g/L;

海鸥洗净剂　　2.5g/L;

温度　　80℃~沸腾;

时间　　至油除尽为止。

4.化学除油后应进行热水清洗

60℃以上浸泡3~5min,然后用流动冷水清洗。

5.酸洗

将管子全部浸泡于酸洗液中,待锈层松动,用手轻拭铁锈,易掉时取出,为防止过度腐蚀,浸泡时间一般为2h左右,具体浸泡时间由操作者依管壁锈层情况和气温高低酌情延长或缩短。清洗溶液的游离酸含量在20g/L以下,或 $FeSO_4$ 浓度高达150g/L时,溶液应补充酸液或更换新液。用于钢管酸洗液的配方及工艺参数如下:

硫酸　(H_2SO_4)工业100~150g/L;

盐酸　(HCL)工业100~150g/L;

乌洛托品　工业2.5~5g/L;

总酸度(N)　5～7；

温度　室温；

时间　至锈层松动为止。

用于铜管酸洗液的配方及工艺参数如下：

硫酸　(H_2SO_4)工业 50～100g/L；

粗食盐　(NaCL)工业 50～100g/L；

若丁　1.5g/L；

温度　室温；

时间　<4h。

6.流动冷水冲洗

用压力水冲洗锈层至管壁清洁，风压不小于 0.392MPa。

7.浸酸

冲洗干净的管子由于受氧化作用很快产生浮锈，需浸入酸中 3～10s 以去浮锈。然后用流动冷水清洗。

8.中和

浸入 5～10g/L 的碳酸钠溶液中进行中和处理，然后再用流动冷水清洗。

9.钝化

经漂洗后的管件应立即浸泡于钝化液中处理，然后用无油、无水的压缩空气将管子逐根吹干。钢管钝化液的配方及工艺参数如下：

硼酸　(H_3BO_3)工业 6.5g/L；

甘油　[$C_3H_5(OH)_3$]工业 9.8g/L；

氢氧化钠　(NaOH)C.P　1.6g/L；

乙醇胺　($HOC_2H_4NH_2$)工业 8.3g/L；

苯甲酸钠　(C_6H_5COONa)工业 1.6g/L；

pH　9～10；

温度　室温；

时间　不少于 5min。

用于铜管酸洗液的配方及工艺参数如下：

铬酐　(CrO_3)工业 150～250g/L；

硫酸　(H_2SO_4)工业 80～100g/L；

温度　室温；

时间　<5min。

10.检验与保养

自检管内外清洗质量后向检验员报检。检验的管件主要包括：溶液配方及工艺符合要求；外表面氧化皮是否除尽，不允许有渍污、脏物、砂粒和锈斑存在；钢管外观呈现金属本色，铜管外呈红铜光泽(允许因钝化膜或管材材质不同引起的色泽差异)；内表面用手电筒检查，管壁呈金属原来色泽。无氧化皮或锈斑(允许少量粉末状锈蚀残留物存在)；清洗后管子内外表面不允许有酸碱存在，可用石蕊纸抽查部分管件，若发现有酸碱残液存在，则必须重新中和及清洗。检验合格的管件按要求进行保养，钢管油管内壁应涂 13＃锭子油保养；管端凡开口处均用特制的塑料闷盖或相应的封盖封口，包封必须牢固，必要时加用铅封；钢管管子外壁涂刷防锈底漆；铜管可根据管件不同用途，外壁涂刷油漆；然后放置于清洁、干燥的地方妥善保管，如无良好的存放场地，清洗后尽快上船安装。

第四节　管件安装技术基础

一、管件安装的基本要求

1. 管件安装前应熟悉有关的管系原理图、安装图、零件图及预制图，管件封口塞盖只有在安装前才允许拆除，拆除后目测管内的清洁情况，确认无问题后才可安装。对船上所有的杯形管节应进行修整，高压空气系统杯形管节应将端面拂平，液压系统的杯形管节应清除干净，安装前并应清除因防止内部的铁锈和氧化皮而涂的润滑脂(SY1502－56)，并在杯形管节内腔涂以 HM32/H 舰船用液压油。

2. 管件安装时应严格按零件图规定的坐标定位，不得自行改变位置。

3. 管件安装应该美观整齐，固定牢靠。管子法兰与机械设备或附件连接时不应偏移过大和歪斜，不得强拉硬撬。其曲折(卡口)和偏移量通常应该满足如下要求：

曲折(卡口)	$D_N \leqslant 100$	$\Delta a < 0.5$
	$100 < D_N < 200$	$\Delta a < 1$
	$D_N \geqslant 200$	$\Delta a < 1.5$
偏移		$\Delta b < 1.3$
螺孔错位		$\Delta c < 1$

上述 Δa、Δb、Δc 见图 8－16 所示

4. 与机械设备相连的各种减振接管应符合 CB/Z174－80 要求，管子与船体结构、机械设备及其他物体之间应保持一定的间隙，一般应大于 5mm。

5. 连接螺栓的长度，应在螺母旋紧后露出螺母 1～2 牙。同一法兰的连接螺栓应该一样长；螺栓旋入垫板的一端应涂石墨油脂或黑油；不锈钢螺纹接头连接时应在螺纹处涂二硫化钼油脂，但注意不要污染管内壁。

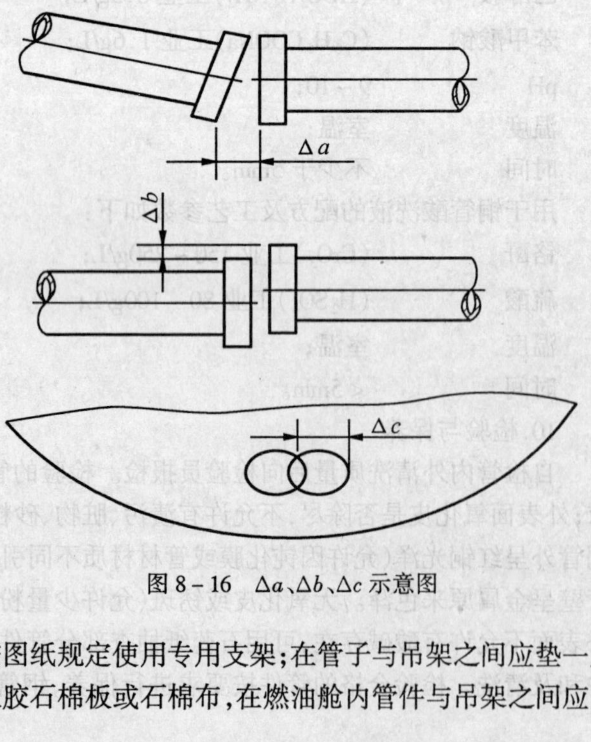

图 8－16　Δa、Δb、Δc 示意图

6. 压载水舱及内部液舱内的管子吊架采用角铁支撑及扁铁马脚固定；上层建筑内的进排气管的吊架应按图纸规定使用专用支架；在管子与吊架之间应垫一层橡皮，蒸汽管子与吊架之间应垫一层橡胶石棉板或石棉布，在燃油舱内管件与吊架之间应垫

耐油橡皮；支撑角铁与船体的焊接应牢固、烧满焊，焊脚高度应等于角铁厚度；管件应固定在管件马脚图规定的马脚上；吊架的间距一般为 0.5～2.5m，视管子的直径大小具体决定：

D_N10 以下的管子，每隔 500～700mm 一套马脚；

D_N15～25 的管子，每隔 700～1100mm 一套马脚；

D_N32～40 的管子，每隔 1100～1500mm 一套马脚；

D_N40 以上的管子，每隔 1200～1800mm 一套马脚。

7. 法兰、螺纹接头的密封通常采用橡胶石棉垫片和紫铜垫片，各种石棉垫片的适用介质规定如表 8－4。蒸汽系统的橡胶石棉垫片在安装前应抹一层石墨油脂或二硫化钼油脂。高压空气系统采用紫铜垫片，液压系统采用金属缠绕垫片。

表 8－4

名称	牌号	颜色	厚度(mm)	适用介质		
高压橡胶石棉板	XB450 GB3985－83	紫色	2～4	$t \leqslant 450℃$	$p \leqslant 6MPa$	海水 淡水
中压橡胶石棉板	XB350 GB3985－83	红色	2～4	$t \leqslant 350℃$	$p \leqslant 4MPa$	蒸汽 空气
低压橡胶石棉板	XB200 GB3985－83	灰色	2～4	$t \leqslant 200℃$	$p \leqslant 1.5MPa$	惰性气体排气
耐油橡胶石棉板	GB539－83	绿色	2～4	燃油，滑油，液压油，制冷剂		

二、大型单元的组装加强和定位

1. 单元组装的装焊工序

单元的组装工作是在钢板平台上进行的，单元组装的装焊工序分为五个部分：

(1)根据框架结构图进行单元整体框架结构的装焊工作；

(2)在钢板平台上或在框架结构上找正相关的安装基准线；

(3)按照单元组装图进行管系、基座、泵和油柜的定位安装，同时进行单元内的取样管的制造和安装；

(4)对修改后的框架结构进行加强，包括永久性和临时性的；

(5)对单元需要油漆的进行涂装工作。

2. 识读框架结构图

为使单元组装工作的顺利进行，必须首先正确识读单元组装的框架结构图。

(1)框架结构图的主要内容

①材料的类型及规格；

②结构的整体和格栅尺寸；

③型钢所处的方向位置。

(2)结构的制作要求

在制作框架时,应按图纸要求正确选用材料,型钢的类型和规格大小应符合图纸设计要求,框架结构尺寸必须达到图纸要求,在装焊拼装过程中,要注意型钢所处的方向位置,不能错位,否则,会影响管路和设备的安装工作。

3.管路、阀件、设备及基座的安装定位

在单元组装过程中,根据单元组装图的要求,首先选定一根典型管子为基准坐标,以此为参照物,逐步进行管路及附件的安装定位,其安装原则是:先附件后管子,先总管后支管,先里后外,先下后上。设备和基座应按照相关图纸要求正确安装定位,并做好与框架结构的固定工作。

4.框架结构加强

在单元组装过程中,常出现管路、阀件及基座等与结构相碰,此时要将结构相碰部位进行修改,有时修改面还比较大,因此必须对框架结构进行刚性加强,在其工作中要正确选用加强材料和增补装焊位置,在保证整个单元吊装刚性要求的同时,要达到管路、阀件及设备的维护修理和便于操作要求,还要控制好整个单元框架的(长、宽、高)体积范围,从而确保单元框架在船上准确安装。

第五节　液压系统管路压力油清洗

液压系统管路在安装结束后正式注入液压油之前,应进行系统管路压力油循环清洗。液压系统管路的压力油循环清洗是在试样表明液压系统的洁净度已经达到或者超过满足元件可靠性和寿命要求所需要的洁净度等级后才告完成。其试样是在液压系统管路压力油循环清洗过程中,按液压系统工作液体的取样方法定期获取的。液压系统管路压力油清洗的基本步骤和方法如下。

1.组成及各部分的关系要熟悉

根据相关图纸及资料理清全船液压系统的组成及各部分的关系,并要求液压系统的管件、附件和实施机械达到安装完好状态。其安装前和安装过程中做到如下几点:

(1)各种实施液缸在上船安装前在车间内进行了检查,实施机械零件内外表面之油封已用工业汽油或轻柴油清除,工作内腔中已注入清洁的 HM32/H 舰船用液压油,必要时应用工业汽油(或轻柴油)和 HM32/H 舰船用液压油进行清洗,其螺纹接头应用塞盖封闭好;

(2)液压系统的管件上船安装前经过了液压强度试验和化学清洗,管子经化学清洗检验合格后,管内涂有 HM32/H 舰船用液压油,并且管件所有接头用塞盖进行填塞或塑料布包扎好;

(3)管接头密封用的金属缠绕垫片使用前已用 HM32/H 舰船用液压油清洗干净;

(4)焊接在隔壁上的钢制隔壁杯形管节在水压试验后进行机械清理,并检查证明无残余氧化铁和污物,在其内腔涂有炮用润滑油和有密封保护盖;

(5)在系统的管子与隔壁杯形管节连接前,杯形管节内腔的炮用润滑油已经清除并涂有 HM32/H 舰船用液压油;

(6)安装液压系统的管件、附件、实施机械时,其螺纹接头上的塞盖应是完好的;如已损坏或脱落的,该管应重新清洗;在内场经化学清洗合格的管子,若因安装需要,需过热校正,但过热校正后，应重新进行化学清洗；

(7)除管件同实施机械连接处外的所有管件均安装了液压密封垫片(如金属缠绕垫片等)，并已紧固到位；管件同实施机械连接处的液压密封垫片在压力油清洗结束、系统还原复装时再安装。

2.清洗前准备

(1)准备好用于液压系统压力油清洗的专用液压清洗站，并且将清洗站与需清洗的船上系统进行连接；

(2)用0.1~0.2MPa洁净空气检查液压系统的管路安装正确性，打开实施机械的针阀或专用放气孔，检查是否有空气逸出；

(3)拆除系统中的电液换向阀、电磁比例阀，舵系统中还需拆除舵液压阀组及专用阀组，将拆下的阀件的油口部位保护好并放置在专用地点保管；在拆除阀件装上相应的工装阀座，并用跨管连接；

(4)拆除液压管路中滤器的滤芯并妥善保管，滤器可不拆除；调速阀、节流阀不必拆除；

(5)将液压系统的管子和实施机械的联接螺纹接头拆开，将实施机械的进出口用塞盖堵塞，把通向实施机械的支管用专用跨接管接通；跨接管安装前必须经过液压试验(15MPa)和化学清洗，跨管及工装管同系统管路的连接全部采用紫铜垫片，在跨管及工装管拆除且系统管路还原时，再安装系统相应的液压密封垫片(如聚四氟乙烯金属缠绕垫片)。

3.液压系统空气密性试验

(1)用来做密性试验的空气必须经过过滤干燥，以保证空气的纯洁性。检查空气纯洁性的方法是用一张白纸迎接气流时约3min，如纸上无油污和湿气即为合格。

(2)按设计图纸规定压力值(如设计深度为300m的潜艇规定压力值为3.8MPa)的压缩空气对全船压入管、回油管、泄出管和同液压清洗站相连的软管等进行紧密性试验，系统中各截止阀打开，但同液压清洗站连接的截止阀关闭。达到试验压力后，检查系统所有螺纹接头的紧密性(用涂肥皂水的方法检查各接头或观察表压10min压降不超过5%)，如发现漏气应将系统中压力降到大气压力，然后排除故障，禁止在系统中有气压的情况下拧紧螺纹接头。

4.液压系统管路进油

(1)液压系统管路进油前需将其所进液压油进行过滤，过滤的洁净度应与系统油泵滤器所取得的洁净度一致或者稍高，或者通过取样化验证明其洁净度，如HM32/H舰船用液压油取样化验项目与要求为：

①40℃运动粘度　　允许值28.8~35.2mm²/s；

②水分　　允许值0.01%；

③机械杂质　　允许值无。

(2)在加油器上要装有滤网，避免灰砂和杂质落入油内；试验用的液压油箱和滤器在注入液压油前，必须清洗干净。

(3)将液压清洗站内溢流阀的溢流压力调整到10MPa，压力继电器调整到11.0MPa，温度继电器调整到40~65℃。

(4)打开液压系统中相应的阀件，启动泵将油加入系统管路，加油时应密切观察油箱的油位，仔细检查系统管路。

5.液压系统的热油清洗

(1)启动油箱的电加热器，将清洗站油箱内液压油温度加热到40℃以上。

(2)启动泵对系统管路进行清洗，总管清洗压力一般为2~4MPa，支管清洗压力一般为3~6MPa，清洗压力最大应控制在7MPa以下。

(3)清洗过程中应沿管线用木榔头经常敲打管子，以利于管壁附着物脱落。清洗时，一只滤器工作，另一只滤器被隔开，当清洗约30min后，将另一只滤器接通，断开前一只滤器，并取出滤网及盘进行检查，如发现滤网及盘上有机械杂质时，清洗工作应继续进行，以后根据实际情况每隔一段时间检查滤网及盘，直至不发现机械杂质为止。

(4)清洗液压总管：总管清洗通常分部分进行，并将部分总管至各实施机械支管的截止阀关闭，打开压力总管与回油总管间的隔离阀。

(5)清洗液压支管：总管冲洗后，将实施机械的每组支管，按分组与系统接通，一组一组地依次进行清洗；要仔细检查截止阀，确保清洗哪组支管时，该组支管与总管的隔离截止阀开启，其余支管隔离阀处于关闭状态。当检查滤器的滤网及盘未发现有机械杂质时，才能更换冲洗另一组支管；各组的清洗先后顺序也可根据实际情况作调整。

(6)清洗时需打开的截止阀应完全开启，调速阀及节流阀均开到最大位置。

(7)所有支管清洗完后，再重新对液压总管和液压支管进行清洗一次；各支路用户的泄油管路可不再进行清洗。

(8)清洗检验合格后拆掉实施机械的跨接管，并将实施机械与液压系统管路连接好。

(9)清洗完后凡是需要进行再热加工修改或重制的油管必须在内场按规定清洗干净、内部涂油并经检验合格后才能上船安装。

6.液压系统实施机械清洗

(1)对需要实施机械清洗的实施机械按总管的部分进行分组，以便分别清洗；实际清洗顺序也可根据实际情况进行调整；每组清洗干净经检验后再清洗下一组；清洗机械时全采用手动换向；同一个压载舱的通汽阀和通海阀液压机在清洗时应分开进行，禁止同时操作；可以按实际情况只使用一舷的压力及回油总管。

(2)清洗前，拆下对应实施机械的换向阀的工装跨接板，并安装相应的工装换向阀；如果该实施机械液压管路中有专用滤器，应装上工装滤芯；舵液压中的专用阀组不安装仍用跨管连接，操舵时比例换向阀不使用，其他不参加机械清洗的设备所对应的换向阀应全部复装完毕。

(3)检查调整清洗站液压泵的溢流阀，使泵出口压力能稳定在9±1MPa。

(4)启动泵，通过工装换向阀对实施机械进行机械清洗；该机械有泄油管路的应将泄油管路的阀门全部打开；支路中有调速阀的应将调速阀调节到适当位置保证机械动作时速度适中。

(5)每组中各机械清洗完后，关闭各用户支管，并对相应的总管再次进行清洗直至无机械杂质为止。

(6)所有机械清洗完并经检验后从清洗站的油箱中取油样送计量所化验分析，如第一次不合格时，可再次取样分析，如第二次再不合格时，则排去油箱及系统内液压油，并将油箱和滤器冲洗干净后，再注入经过化学成分分析合格的新液压油，对系统再次进行压力油循环清洗，直至化验合格，即认为压力油循环清洗工作结束。如压力油循环清洗所用的液压油为HM32/H舰船用液压油，则其取样化验项目与要求为：

①40℃运动粘度　　　允许值：28.8~35.2mm^2/s；

②水分　　　　　　　　允许值:≤0.01%;
③机械杂质　　　　　　允许值:不低于 NSA10 级污染度标准(如表 8-5)。

表 8-5　NSA10 级污染度标准表

颗粒尺寸范围(μm)	5~15	15~25	25~50	50~100	>100
100ml 中的颗粒数	256000	45600	8100	1440	256

(7)每组机械清洗完后,拆下工装换向阀,拆下工装滤芯,将原阀件及原滤芯还原。

(8)清洁船液压油箱(舱),可通过液压清洗站对船上油箱加新油,或直接向油箱加注合格的新油。

7.液压系统的油压密性试验(⑤⑦⑥)

(1)液压系统的油压密性试验的压力值应为设计图纸规定的油压密性试验压力值;如设计深度为 300m 的潜艇规定液压系统油压密性试验压力值为:压力管 12.5MPa、回油管 3.8MPa、泄油管 1.5MPa;

(2)由于液压回油及泄油管路上的阀件压力级较低,不能承受压力管密试的压力,因此压力管密试时必须在压力管与回油管的分界处加装清洁闷板,并应减少液压管路的拆卸点,以减少液压油对舰船的污染;

(3)全船压力管(压力总管、各用户支路管到换向阀或阀组部分),在油压密试最大压力点的密试时间通常为 30min,并且在密试时间内,各管路接头不得有泄漏现象;各用户压力支管(从换向阀或阀组到实施机械部分),在实施机械作效用试验时检查管路接头,不得泄漏(一般实施机械压力应≥9MPa;实施机械为液压马达的压力应≥8MPa);所有回油管及泄油管,在其油压密试最大压力点的密试时间通常为 20min 内,并且在密试时间内,观察表压,压降不超过密试最大压力值的 5%;

(4)密试完后,拆除所有的工装跨管,液压系统全部还原;同时将液压站内所有滤器清洗干净、工装换向阀清洗干净、工装跨管的两端保护好并送工装室保管。

第六节　施工图纸问题的发现、提出与解决

管件制作和管系安装施工是以生产设计中放样编制的管系零件图册和管路综合布置图进行的,图中难免会出现这样或那样的错误,在施工中发现了图误或图纸中说明不清的地方要提示或报请工艺部门解决。图纸中出现的问题一般如下所述:

1.管路安装的方向表示不明;

2.阀件安装的方向及位置;

3.污水管安装无倾斜度;

4.传话管有袋装现象;

5.坐标不对与设备相碰;

6.甲板上的注入测量透气管高度不够(主甲 760mm);

7.舱底的疏水管吸入口与船底的高度过高或过低(一般距舱底 50mm);

8.舱底的测量管无封板(要加防击板);

9.防浪阀与止回阀倾斜过度(一般$\not>15°$);

10.管路的压力级别与管子附件不匹配;

11.表面处理不正确(装在油舱内的管不能镀锌,装在水舱内的管不能涂漆等);

12.通过油舱的水管无防护措施(要在水管上装护套管,通过油舱的水管严禁在油舱内加连接件);

13.弯管程序不对:

(1)夹位不足(送进长度、两弯之间长度);

(2)下转管的点间长超过距地面的高度;

(3)附件选型不对。

解决的办法是:在下料时(弯管)放长 100mm。防止无夹位的管或在弯制中的管段滑动,或弯角不正确(允许 ±1°)等因素造成无余量的下料管的报废。

在弯管前要认真熟悉零件图,如两弯之间的点间长是 $2R$ 加夹位,若此管没有这个长度,则不能进行弯制,以免造成人力、物力浪费,必须通知技术部门改图采用标准弯制。如果下转管超过距地面的高度,可试着将弯管程序反向弯。至于附件的选型不对,必须熟练的掌握各种附件所适用的管材。

例如 CB56-83 的螺纹接头:D32G CB56-83 的螺纹平肩接头,理论通径为 D_N32,管材 D_N32 的有 $\phi38$、$\phi42$ 等,但此接头只适用 $\phi38$ 的管。如表 8-6 所示。

表 8-6 对应 CB56-83 的螺纹接头的适合

零件图号	适合	不适合
D32 JG CB56-83 06-32 JG CB56-83	$\phi38$	$\phi42$ $1\frac{1}{4}''$
D25 CB56-83 06-25 JG CB56-83	$\phi32$	$\phi30$ $1''$
D20 CB56-83 06-25 JG CB56-83	$\phi25$	$\phi27$ $\phi28$ $\frac{3}{4}''$
D15 CB56-83 06-15 JG CB56-83	$\phi22$	$\phi20$ $\phi19$ $\phi18$
D10 CB56-83 06-10 JG CB56-83	$\phi14$	$\phi16$ $\phi17$
D6 CB56-83	$\phi10$	$\phi8$ $\phi9$

第七节　管路系统的调试

一、船舶管路系统检验基本要求

1.管路系统紧密性试验

管路系统的紧密性试验应在安装完毕并报检后进行;紧密性试验的压力和要求按图纸及有关技术文件的规定。试验介质及方法如下:

(1)当采用燃、滑油、仪表油等介质进行试验前,先用压缩空气预检,消除泄漏后,再注入工作介质进行试验;

(2)紧密性试验时应该逐步升压,同时,检查管子接头是否漏泄,消除全部漏泄后,再升压到试验压力,并稳压10min左右;

(3)试验完毕后,若试验介质为水,将水排掉并用压缩空气吹除干净。若为油类介质,应将油放入船上已清洁干净的油舱或油柜、油箱;

(4)试验完毕后必须将所有试验用盲板拆除,将管系装复还原。试验用盲板必须编号、打钢印,装拆前后都必须检查登记。

2.泵、阀和附件液压试验

(1)所有泵的受压部件在装配前应在车间进行液压试验,试验压力为1.5倍设计压力,但不必大于设计压力7MPa;

(2)离心泵的设计压力取性能曲线上的最大压头;容积式泵的设计压力取安全阀的调整压力;蒸汽驱动泵的蒸汽一侧的试验压力为1.5倍工作蒸汽压力;

(3)所有阀和附件的受压部件在装配前应在车间进行液压试验,其试验压力为1.5倍设计压力,但不必大于设计压力7MPa;

(4)安装在载重线之下舷侧的阀件、旋塞和接管应进行试验压力不小于0.5MPa的液压试验。

3.燃油及清油分油机试验

(1)燃油及滑油分油机作分离效用试验2h;分离时作并联和串联的效用试验,燃油需从混油柜吸入,排至锅炉燃油日用油柜;对分离后的油需作取样检查;分离效果应满足设计要求,分离机运转时,应无振动和异常发热等现象。

(2)燃油、滑油分油机工作的自动控制、自动排渣按产品技术条件进行调整和试验。

(3)分油机电动机的应急切断装置,作效用试验;分油机加热器做效用试验。

(4)分油机效用试验时,对油温、电动机转速、启动电流及工作电压等作记录;试验结束后,电动机及控制设备的热态绝缘电阻值不应小于1MΩ。

4.主、辅机燃油系统试验

(1)作主、辅机燃油供油单元装置对主、辅机供油的效用试验1h,应运转正常,满足设计技术要求;

(2)作燃油输送泵及燃油系统的效用试验1h,试验时泵及电动机的运动部件应无异常发热、泄漏及敲击现象,各泵之间转换灵敏;

(3)各燃油泵的舱室外应急关闭装置,作应急停车效用试验2～3h,对双层底以上燃油

舱(柜)的快开阀,作机舱外部操作关闭试验,应迅速、灵活;作燃油混油器效用试验、燃油自清滤效用试验;

(4)试验时各泵的转速、燃油进出口压力、电动机的启动和运行的工作电流、电压应作好记录,试验结束后,电动机及控制设备的热态绝缘电阻值应不小于1MΩ;

(5)燃油粘度自动调节装置,进入主、辅机的燃油粘度偏离设定值时,声光报警的效用试验。

5.主、辅机滑油系统试验

(1)主、辅机滑油泵、滑油输送泵组及滑油系统(包括主机凸轮轴滑油泵及系统)作滑油循环效用试验1h,试验时泵及电动机的运动部件应无异常发热、泄漏及敲击现象;检查主、备泵之间转换灵活性;

(2)各滑油系统低压报警工作及应急保护系统的工作应正常,准确无误;

(3)作主、辅机滑油循环舱(柜)停车和运行时的油位检查;

(4)作滑油系统温度自动效用徽,滑油自清滤器做效用试验,艉管滑油泵效用试验;

(5)试验时的转换、滑油进出口压力、泵的转换、电动机启动和运行的电流、电压等作好记录。试验结束后,其电动机及控制设备的热态绝缘电阻值不小于1MΩ。

二、相关的船舶系泊试验和航行试验的试验大纲

1.机舱舱底水系统的试验大纲

(1)机舱舱底水系统及舱底水泵试验

机舱舱底水泵进行排水效用试验1h,同时电动机、泵及管路运行应无异常发热、泄漏及敲击现象;机舱污水舱模拟水位的报警的效用试验;进行主、备用泵转换试验,应转换顺活。

(2)舱底水油、水分离器效用试验

舱底水油、水分离器自动控制系统进行2~3次效用试验,并检查大于10PPm时应自动发出报警并自动停止向舷外排水;油、水分离器效能试验时,应对分离后的水进行取样分析检查,分离试验时,应无异常现象;进行机舱应急吸口的排水效用试验。

(3)本系统中所有的电动机及自动控制设备试验结束时应测量热态电阻,其值应不小于1MΩ。

2.机舱压载系统的试验大纲

(1)机舱压载泵进行排水循环1h,泵、电动机及管路运行时应无异常发热,敲击及泄漏等现象;

(2)首制船舶试验时,应以压载泵将水注满某一压载舱并将水排出,记录压载水注满及排空的时间;同时,以压载泵将水从一舱驳到另一舱进行转驳试验,检查转驳的方便性;后建船舶试验时,以压载泵进行注水,排出和转驳的效用试验,检查压载系统的转驳方便性,各舱排空后,残留舱底的压载水水深一般不超过50mm;

(3)试验结束时,电动机及控制设备的热态绝缘电阻值应不小于1MΩ。

3.液压系统及液压泵的试验大纲

(1)做手摇泵开启阀效用试验;

(2)泵上安全阀调试开启压力,安全阀开启压力应根据有关设计图纸规定;如制造厂已调好安全阀开启压力,可以免调安全阀;

(3)液压泵在液压动力装置室以外的货油控制室控制台上的关闭装置进行停泵效用试

验,确信报警装置安全可靠;

(4)液压泵站对货油和压载系统的阀门遥控应在试验程序中综合一起试验。

三、调试试验中容易产生的故障及原因分析

(一)液压系统的常见故障

液压系统产生的故障是多方面的,不同类型的舵机、锚机、起货机等,由于系统中元件造型不同,安装位置不同,故障现象也不尽相同。有的因某一元件制造粗糙,工作失灵而引起的;有的受设计局限,元件与元件相互影响而造成。有时也由于液压油污染而波及全系统,有时却出自操纵失误而局部受到破坏;同时机械、电气以及外界干扰,也会引起液压系统出现故障。归纳起来,液压系统产生的故障,多因设计制造上的缺陷,伴随安装、使用、管理上的疏忽。发现故障千万不要急于乱拆元件,应保持镇静,全面分析、寻根究源,先简后难,经过逐步排除,可使故障消失,使系统性能达到要求。下面列举几种常见故障排除方法。

1.系统压力起不来或不足

原因可能来自油泵、控制元件、管路、工作油缸,此时必须检查:

(1)泵的转向、吸油高度和进出口是否装错,以及压油零件是否损坏、过度磨损发热,变量油泵的偏心是否正常等;

(2)溢流阀动作有否引起泵卸荷情况;

(3)管路有否阻塞不通,或高低压旁通,或存在泄漏;

(4)工作油缸密封损坏,高压腔与低压腔产生内泄。

2.执行元件速度不稳定或爬行

原因可能来自工作油缸、控制元件、油液、油泵。此时必须检查:

(1)油缸密封件的摩擦阻力情况,传动绞点安装线性偏差;润滑不良或制动机构未全部脱开;

(2)换向阀阀口开度不对,安全阀有时旁通;

(3)油液混入空气;

(4)油泵转速或排量不足,有脉冲现象。

3.系统产生噪音和冲击

原因可能来自管路、油液、控制元件、油箱。此时必须检查:

(1)管路是否弯头过多,管径过细、过长,安装固定不妥;

(2)油液混入空气;

(3)方向控制阀换向太快,复位弹簧疲劳损坏,阀芯拉毛;

(4)油箱油位过低,滤器阻塞,泵有困油现象或柱塞拉毛、卡死。

4.系统油温过高

原因可能来自油箱、油液、控制元件、油泵、油马达。此时必须检查:

(1)油箱泊位过低,油箱内有污垢沉淀,散热不良;

(2)油液选择不当,粘度过高或过低,引起油泵吸油不足或能量消耗;

(3)安全阀开启压力过高、过低,卸荷阀失灵不卸荷;

(4)油泵、油马达磨损,内泄漏严重,容积效率低;

(5)系统通路不顺,液流阻力太大。

上述故障除个别影响系统性能须作改正外,大部分经过清洗修毛、纠正、拂配等工艺后,

都能收到较为理想的效果。

(二)舱底水系统的常见故障

1.启动水泵后不排水,一般有以下原因:

(1)真空不能建立,泵的转向不对,吸入管路泄漏;止回阀卡住关不紧;真空泵不起作用;舱底水排空不能建立真空:除了应抽除部位的舱底水阀开启外,不相干的阀也开启,泵内有空气;

(2)有真空没有压头:管路阻塞,阀没有开启,滤器阻塞等;

(3)有压头仍不能排出:舷侧阀未开启,排出管阻塞等。

2.产生振动和噪音

可能引起的原因:安装不当;机座和船体结构刚性不够,叶轮阻塞;紧固装置松动;机械损坏(泵轴弯曲、活动部分咬死,轴承磨损)等。

3.电机、水泵过热

可能引起的原因:转速过高,排水量过大(压头低于额定水柱);填料函过紧;密封装置安装不要或损伤;机械损坏。

(三)压载水系统的常见故障

1.压载水的压力及排出时间达不到要求

一般应检查空气管的敷设是否有阻塞状况;压载管路是否阻塞;阀的开启度是否达到要求;泵的压头是否在额定工况等。

2.压载水舱的水不能排空

原因是吸入口的位置过高;压载舱内流水口过小;船的倾斜位置不正等。

3.压载水舱的水不能排出

原因是抽吸管路中有空气;管路被杂物堵塞等。

在上述系统发生故障时,应正确分析,找出原因,有针对性地加以排除。

习　题

1.什么叫系统、管路、管件和附件?它们之间是什么关系?

2.如何绘制单管预制图?

3.如何进行管件下料?

4.为什么管子的弯曲时其弯曲半径 R 一般应保证 R/D_W 不小于 2.2,对于 HDR 钢管应保证 R/D_W 不小于 2.5?

5.管子的弯曲可用哪些方法?应分别注意它们哪些要点?

6.特种管件通常是什么样的管件?特种管材管件的弯制应该注意哪些要点?

7.如何进行管件的装配?

8.管件的焊接包括哪些工作?它们应该怎样进行?

9.管件的内场液压试验及制作后处理包括哪些工作?它们应该怎样进行?

10.为什么要进行化学清洗?应怎样进行?

11.管件安装应注意哪些基本要求?

12.为什么要进行液压系统管路压力油清洗,其基本步骤和方法怎样?

13.如何发现施工图纸问题及提出与解决问题？

14.管路系统的紧密性试验为什么应在安装完毕并报检后进行？如何进行管路系统紧密性试验？

15.泵、阀和附件液压试验的试验压力有哪些限制？

16.怎样进行燃油及清油分油机试验和主、辅机滑油系统试验？

17.怎样进行船舶系泊试验和航行试验？

18.如何进行调试试验中各系统的故障原因分析？如何进行故障排除？

附录　船舶管系工技师理论模拟考试试卷及答案

2004年船舶管系工技师理论模拟考试试卷(A)

题号	一	二	三	四	五	六	总分
得分							

得　分	
阅卷人	

一、判断题(对则打√,错则打×;每题1分,共20分)

1.距离蒸汽分配管越远的取暖器的传热效率越低。(　　)

2.海水总管布置时,全部应以直线布置。(　　)

3.制冷管系中应避免出现不必要的U形弯曲和存油场所。(　　)

4.火焰弯管机适用于弯制大直径的钢管及镀锌和铜管。(　　)

5.拆卸图中根据管子位置的不同,标注部分有代表性管子的位置尺寸,即坐标尺寸,允许不是非常精确。(　　)

6.燃油舱柜的测量管不允许引到船员或旅客的居住舱室。(　　)

7.管子拆卸运回内场后每根管子都要鉴定,确定管子的换新数量和修补留用数量。(　　)

8.管系附件并行布置时,应考虑操作的方便性,本体间距在10mm以上。(　　)

9.分段之间连接的调整管,长度一般取600mm左右。(　　)

10.单管式暖气管路的优点是布置复杂,质量轻。(　　)

11.滑油循环油柜一般设置在柴油机底壳下面的双层底中。(　　)

12.空气管引出口与注入口成平行布置。(　　)

13.靠模定位校管的关键是法兰要平整,螺孔要对准,曲形要原样。(　　)

14.甲板冲洗管和生活用水管可以通过货舱。(　　)

15.货油装卸管路中必须设有伸缩器装置。(　　)

16.过滤重油的滤器,为了保证良好的过滤效果,在滤器中应设有冷却水管。(　　)

17.管子支架可以固定在主辅机底座的构架上。(　　)

18.热交换以逆流为佳。(　)

19.油分离机停车前,先切断加热蒸源。(　)

20. 锅炉使用重柴油或低质燃料油时,在停炉前,必须转换使用轻柴油,并使用一段时间。(　　)

得　分	
阅卷人	

二、填空题(将正确答案填入括号内;每题1分,共20分)

1.以管子作为单元主体进行或排成束的集中组合,并包括阀件、附件(　　)在钢板及其支架等。

2. 海水和淡水漏入滑油中会使滑油(　　)。

3.测量管应尽可能与液舱相(　　)地安装。

4.出口无接管的安全阀安装时,其出口不得对准(　　)等。

5.管子拆卸后,与其连接的机械设备,通仓管件,装置等接口,均应(　　)。

6.潜水艇上的压载水起着使艇(　　)各种状态的作用。

7.空调系统主要由空气调节器、布风器、(　　)和回风口等组成。

8.灭火喷嘴的雾化片内有(　　),能使在规定压力下进行很好地雾化。

9.单元组装概况为功能性单元(　　)及混合式单元三大类。

10.滑油滤器通常放在冷却器进口(　　)。

11.冷却水泵广泛采用(　　)水泵。

12.压力管路上如装有减压阀时,应在减压阀后装设(　　),并应设有旁通管路。

13.胶质波形膨胀接头主要用于管路较长的(　　)管路。

14.油箱和油柜上一般都装有(　　),用来取油样和供杂用需要时放油。

15.膨胀水箱的位置一般都是设在主机汽缸盖顶部以上(　　)m左右。

16.卡套接头是一种先进的管路连接件,属于(　　)式管件。

17.减压阀应按箭头方向(　　)安装于水平管路上。

18.固定管板式热交换器常用于船舶制冷装置的(　　)及滑油冷却器。

19.压载水系统的水源管路,必须直接从(　　)引出。

20.注入管路应尽量靠舱柜壁布置和安装,不得妨碍(　　)的畅通。

得　分	
阅卷人	

三、选择题(每题1分,共10分)

1.一般机舱管子每根约(　　)。

A.2～3m 左右　　B.3～4m 左右　　C.4～5m 左右

2.有 ϕ89×4 的钢管，弯曲半径为 200mm，弯曲角 90°选择弯管方式（　　）。

A.手工垫弯　　B.手工冷弯　　C.机械冷弯　　D.机械热弯

3.管子的弯头大多数不超过（　　）。

A.2 个　　B.3 个　　C.4 个

4.管子弯曲后的缩径度不小于（　　）。

A.85%　　B.90%　　C.95%

5.甲板护罩的宽度一般为（　　）mm。

A.800　　B.900　　C. 1000

6.分段之间连接的调整管，长度一般取（　　）。

A.700mm 左右　　B.800mm 左右　　C.900mm

7.正确的管路编码是（　　）。

A.D—压载，舱底水　　B.B—压缩空气

C.L—滑油　　D.W—制冷

8.货油装卸管路法兰处所采用的垫片应在加热到（　　）左右的清油中浸泡 4 小时后再使用。

A.80℃　　B.90℃　　C.100℃

9.吸油口一般距舱底（　　），并保持与船体平行。

A.10～15mm　　B.15～20mm　　C.25～30mm

10.货油轮上，通至船底的熏舱管路应距舱底（　　）的高度。这样可使蒸汽由下而上。

A.0.15～0.2m　　B.1.5～2m　　C.15～20m

得　分	
阅卷人	

四、简答题（共 17 分）

1.压缩机开车时的顺序和注意事项有哪些？（5 分）

2.冷却水系统系泊试验应注意哪几点？（6 分）

3.对开孔位置的选择应注意哪几点？（3 分）

4.热力膨胀阀在制冷装置中有何功用?(3分)

得　分	
阅卷人	

五、绘图题(共23分)

1.作出天圆地方的展开图(13分)

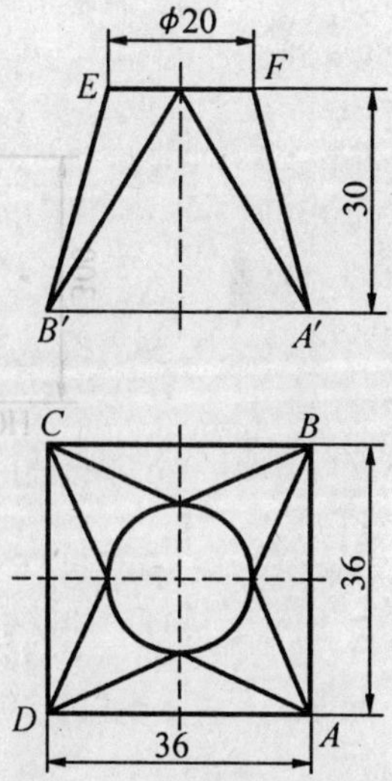

2.根据管子的节点坐标,画出管子零件图(10分)

X	Y	Z
0	0	0
178	0	0
718	260	0
2248	260	0
2248	1384	0

得　分	
阅卷人	

六、计算题(10分)

求管子的弯角和转角。

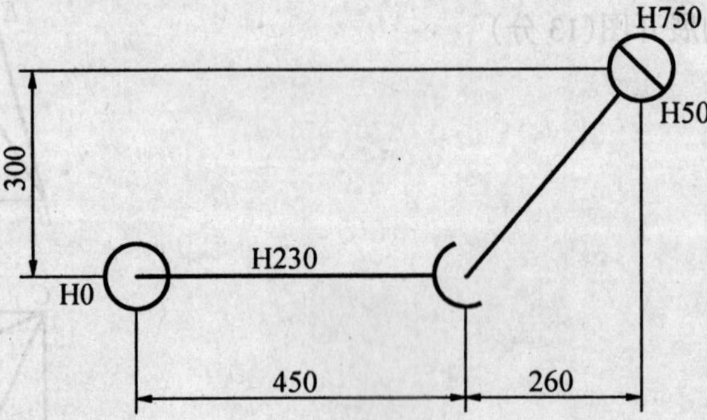

2004年船舶管系工技师理论模拟考试试卷(B)

题号	一	二	三	四	五	六	总分
得分							

得　分	
阅卷人	

一、判断题(对则打√,错则打×;每题1分,共20分)

1.测量管应敷设在液体舱的较低处。(　)

2.中频弯管机可以弯制钢管、不锈钢管和合金钢管及铜管。(　)

3.油分离机进行分水工作时,必须在分离筒内注入一定量的水,以建立水封区。(　)

4.在机、炉舱或轴隧等处的双层底液舱的测量管,可以不引至甲板上而终止在距花钢板1000mm处。(　)

5.液压试验时管子的压力保持3min不降,管子焊缝无渗漏时,则认为试验合格。(　)

6.增压器的润滑主要依靠重力进行供油。(　)

7.若舱内液货有毒,则透气管出口与起居处所、服务处所和机器处所的空气进口或开口以及着火源的水平距离至少为12m。(　)

8.离心泵启动之前,应先在泵内充满液体。(　)

9.齿轮泵和螺杆都有自吸能力,启动时可以干转。(　)

10.液压系统的整个安装过程禁止使用棉纱头揩拭油液通路部位。(　)

11.空压机一般不采用飞溅式润滑或压力式润滑。(　)

12.凡机、炉舱及轴隧内的测量管,其布置高度一般应以端部距花钢板200mm。(　)

13.舾装管理的重要手段是:编制托盘管理表,建立配套中心,开展托盘管理。(　)

14.柴油机排气温度一般为500~600℃。(　)

15.溢流管的截面积应不大于进油管的1.25倍。(　)

16.压缩空气管路应处于明显位置,不宜夹杂在其他管路中,更不能置于管束之上方。(　)

17.压力控制阀有节流阀、减压阀、顺序阀等。(　)

18.拆卸图中根据管子位置的不同,标注部分有代表性管子的位置尺寸,即坐标尺寸,允许不是非常精确。(　)

19.二氧化碳管路应采用无缝钢管,管子的外表面应镀锌。(　)

20.管子支架可以固定在船体外板上。(　)

得　分	
阅卷人	

二、填空题(将正确答案填入括号内;每题 1 分,共 20 分)

1.先弯后焊的弯管工艺主要由(　　)和弯管两部分组成。

2.机舱中的排气管必须包扎绝热层,其厚度要保证其表面温度不超过(　　)℃。

3.管子化学除油一般采用氢氧化钠(　　)和硅酸钠的混合液。

4.弹簧式安全阀必须(　　)安装。

5.卡套接头可用于(　　)的施工场所。

6.管子支架应包有(　　)mm 的铅皮垫片。

7.托盘管理就是以托盘为单位进行组织生产(　　)以及工程进度安排的一种科学的生产管理方法。

8.管子拆卸应从连接机械设备处开始进行,(　　),由表及里的顺序拆卸。

9.蒸汽系统中,蒸汽管和给水管采用无缝钢管,凝水管采用(　　)管。

10.舱底水通常积在舱的底部,吸口位置甚低,故舱底水泵应为(　　)泵。

11.管子应力变形的自然补偿法可分为光滑式、(　　)和波纹式。

12.燃油管路水密舱壁时,在机舱的一侧应装有(　　)。

13.目前常用的管路安装方法有系统安装法(　　)和分段预装法三种。

14.双层底舱以上的燃油舱,燃油柜的出口处与管路相联的阀,一般都应装置(　　)。

15.现在船舶,压载水系统已不大采用调驳阀箱,而采用(　　)。

16.货油加热用的蒸汽压力为(　　)MPa 的饱和蒸汽。

17.凡储藏水,燃油、滑油的舱柜以及舱柜间的隔离空舱都应装置(　　)管。

18.压缩空气系统中的主、辅机启动管路上应安装有(　　)的装置。

19.套管式热交换器适用于传热面积(　　)的场合。

20.夹布胶管连接用于水温低于 100℃的水管路上,如用于油路时,油温必须低于(　　)℃,同时采用耐油橡胶。

得　分	
阅卷人	

三、选择题(每题 1 分,共 10 分)

1.油轮的透气出口距通风斗的距离不得小于(　　)。

A.3m　　B.4m　　C.5m

2.燃油日用油柜的出油管上应装置(　　)。

A.止回阀　　B.安全阀　　C.速闭阀

3.风管隔热层的厚度一般为(　　)。

A.20 ~ 40mm　　　　B.10 ~ 20mm　　　　C.40 ~ 60mm

4.铜管的椭圆度不超过(　　)。

A.3%　　　　B.5%c　　　　C.7%

5.燃油管路通过水密舱壁时,在机舱的一侧应装(　　)。

A.止回阀　　　　B.安全阀　　　　C.截止阀

6.分段之间连接的调整管,长度一般取(　　)。

A.700mm 左右　　　　B.800mm 左右　　　　C.900mm

7.船舶管路在大修时,应首先做的一项工作是(　　)。

A.拆卸管子和附件　　　　B.放泄油、水　　　　C.消除隐患

8.管子在内场测厚值(　　)时必须换新。(δ—基本计算壁厚)。

A.大于　　　　B.等于　　　　C.小于

9.管子减薄率 R 要求为(　　)。

A.R = 20%　　　　B.R≤20%　　　　C.R≥20%

10.化学品船上的透气管出口在露天甲板上的高度应不小于(　　)。

A.4m　　　　B.5m　　　　C.6m

得　分	
阅卷人	

四、简答题(共 25 分)

1.燃油系统的系泊试验应注意哪些事项?(5 分)

2.壳、舾、涂一体化有何特征?(10 分)

3.集油井在燃油系统中有何作用?(4 分)

4.管舾装生产设计的工作内容有哪些?(6 分)

五、绘图题(共 10 分)

作出异径偏心斜支管的展开图。

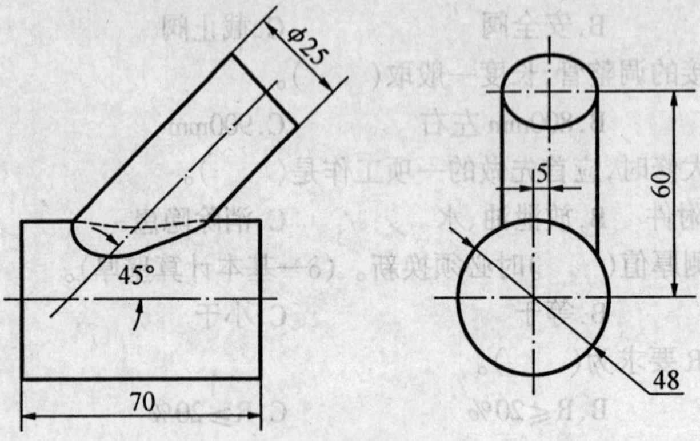

得　分	
阅卷人	

六、计算题(15 分)

1.计算管子的弯角和转角 1(10 分)

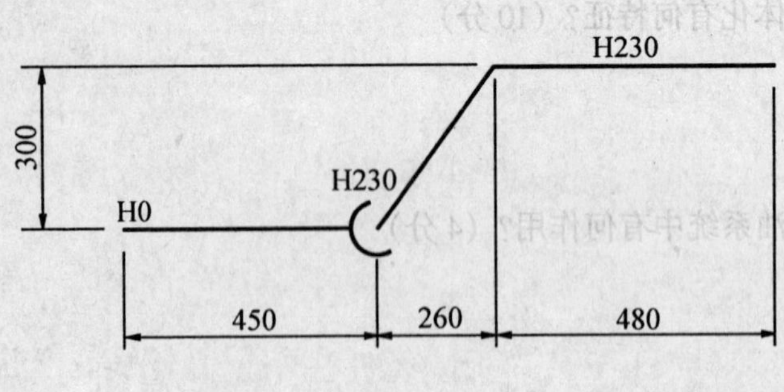

2.求管子的旋转角(5分)

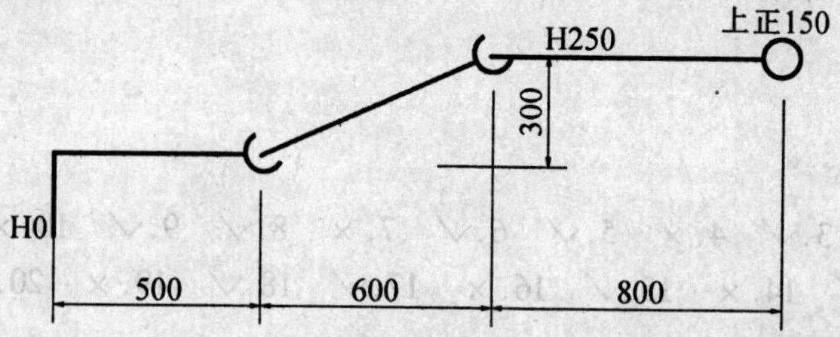

2004年船舶管系工技师理论模拟考试试卷答案(A)

一、判断题

1.√ 2.× 3.√ 4.× 5.√ 6.√ 7.× 8.√ 9.√ 10.× 11.√
12.× 13.√ 14.× 15.√ 16.× 17.√ 18.√ 19.× 20.√

二、填空题

1.管子支架 2.乳化 3.垂直 4.走道、机械设备或仪表 5.加封盖和包扎
6.沉浮 7.风管 8.螺旋形槽 9.区域性单元 10.之前 11.离心式
12.安全阀及压力表 13.压载水或舱底水 14.自闭式放泄阀 15.3~7
16.非焊接 17.垂直 18.冷凝器、蒸发器 19.海水总管 20.通道

三、选择题

1.B 2.D 3.B 4.C 5.A 6.B 7.C 8.B 9.C 10.B

四、简答题(共17分)

1.压缩机开车时的顺序和注意事项有哪些?(5分)

答:(1)启动冷却水泵,向冷凝器供水。

(2)启动压缩机(随即停车),检查压缩机的转向。

(3)若有手动卸载装置,应将能量手柄置于最小位置。

(4)启动压缩机,当压缩机达全速后,缓缓开启吸汽阀,以防发生敲缸或汽缸结霜现象。

(5)正常运行后,根据蒸发器负荷调节膨胀阀,调节过程中,膨胀阀开启度的变化不宜一下子过多。

2.冷却水系统系泊试验应注意哪几点?(6分)

答:(1)注意膨胀水箱的水位变化;

(2)注意主机淡水的回水、回气至膨胀水箱管路的工作情况;

(3)注意进机的冷却水温度变化;

(4)应先启动淡水冷却泵,使其正常运转后再启动海水冷却泵。不使淡水冷却温度一般进机温度为50~60℃,主机进出温差不大于12℃。

(5)注意视流器的水流方向,避免水泵有压头而无水循环的不正常现象。

(6)经常检查海水滤器的工作情况,避免阻塞。

3.对开孔位置的选择应注意哪几点?(3分)

答:1)开孔后,贯通件腹板周围焊缝与船体任何焊缝一般应保持25mm间距;

2)船体板缝正中允许开孔,但外板焊缝正中开孔例外;

3)船体补强板厚薄过渡部位不允许开孔;

4.热力膨胀阀在制冷装置中有何功用?(3分)

(1)使高压常温的制冷剂液体降压降温。

(2)改变流入蒸发器制冷剂量,使与蒸发器的热负荷相匹配。
(3)使蒸发器出口的制冷剂气体保持一定的过热度。

五、绘图题(共23分)

1.作出天圆地方的展开图(13分)
答案:

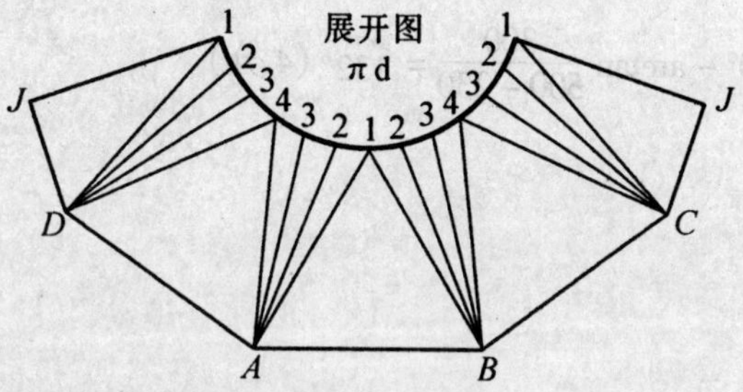

2.根据管子的节点坐标,画出管子零件图(10分)
答案:

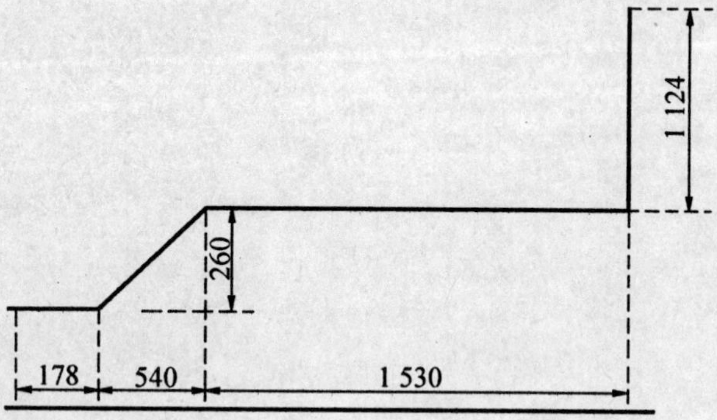

六、计算题(10分)

求管子的弯角和转角

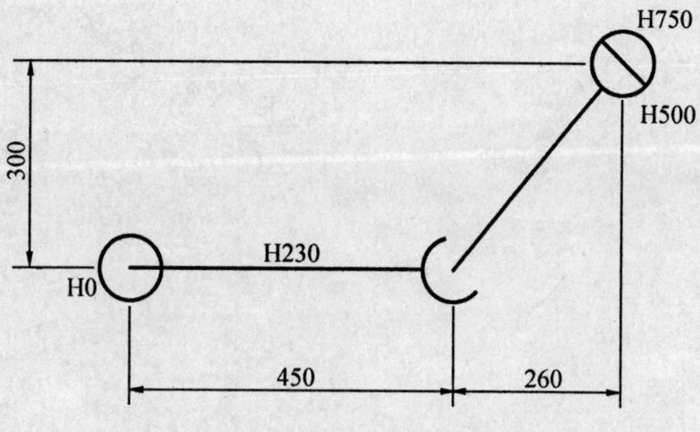

解：1.求实长 $L_2 = \sqrt{260^2 + 300^2 + (500 - 230)^2} = 480\text{mm}$ （1分）

2.求弯角

$$\alpha_1 = 90^\circ \quad \text{（1分）}$$

$$\alpha_2 = \arccos\frac{260}{480} = 57^\circ \quad \text{（2分）}$$

$$\alpha_3 = \arccos\frac{500 - 230}{480} = 56^\circ \quad \text{（2分）}$$

3.求转角 $\varphi_1 = 180^\circ - \arctan\frac{300}{500 - 230} = \widehat{132^\circ}$（4分）

2004年船舶管系工技师理论模拟考试试卷答案(B)

一、判断题(共20分)

1.╳　2.╳　3.✓　4.╳　5.╳　6.✓　7.╳　8.✓　9.╳　10.✓
11.╳　12.╳　13.✓　14.╳　15.╳　16.✓　17.╳　18.✓　19.╳　20.╳

二、填空题(共20分)

1.下料　2. 60℃　3.碳酸钠　4.垂直　5.防火、防爆　6. 1~1.5
7.物质配套　8.先上后下　9.白铁　10.自吸式　11.折皱式　12.截止阀
13.单元组装法　14.快关截止阀　15.蝶阀　16. 0.4~0.9　17.空气
18.放泄残水　19.较小　20. 80

三、选择题(每题1分,共10分)

1.A　2.C　3.A　4.B　5.C　6.B　7.C　8.C　9.B　10.C

四、简答题(共25分)

1.燃油系统的系泊试验应注意哪些事项?(5分)

答:(1)对日用油柜应定期批排油渣及放水检查,防止油管阻塞及水分进入管道,造成应急停车。

(2)对各具有加热设备的舱、柜、加热器等选择适当的加热温度,以保证燃油的输送。

(3)滤器要定期清洗,防止堵死。

(4)分油机的分油量一般为1/2的额定分油量,否则易造成大量溢油。

(5)要正确处理燃油品种的合理切换,避免喷油嘴的损坏。

2.壳,舾,涂一体化有何特征?(10分)

(1)根据成组技术原理,以生产线或有效的制造船体零件,部件,分段;按相同的施工工艺流程组建平面,曲面,上层建筑分段制造区域,使之作业均匀地协调分道作业。

(2)把整艘船按空间而不是按系统划分成区域,对同一区域内的舾装件,按单元组装,分段预装和舾装三个安装阶段进行作业。

(3)把集中在船台和码头上进行的涂装作业,尽可能前移安排到分段制造与分段上船台之间。避免相互干扰的涂装作业。

(4)采用中间产品导向工程分解,按区域/阶段/类型的层次进行分解把船体建造,舾装和涂装三种不同性质的作业类型分解后的零件,部件,分段或舾装托盘等中间产品,按成组技术相似性原理分类归组,使之能分道作业,达到均衡生产的目的。

(5)管件采取成组加工,应用成组技术作业原理,将管子按设计和制造系统地分类成组,以形成足够的制造量,提高工作效率。

3.集油井在燃油系统中有何作用?(4分)

答:(1)使主机高压喷油泵的高温回油进入集油井,而不进入日用油柜。这样不会因日用油柜散热量太多而使机舱温度提高。

(2)燃料油和轻柴油相互转换时，由于燃料油和轻柴油温度相差悬殊，为适应主机高压喷油泵可靠工作，必须要有一段混油过程，以逐步替换燃油品种。这时就可以在集油井进行燃料油和轻柴油的混合。(2 分)

(3)在集油井上设有透气管，它可以保证回油经过时不断地排除燃油中的气体。

4.管舾装生产设计的工作内容有哪些?(6 分)

答:(1)施工专用管系原理图;

(2)管系安装图;

(3)管系开孔图;

(4)通海阀布置及其附件详图;

(5)管系零件图;

(6)管子护罩图。

五、绘图题(共 10 分)

作出异径偏心斜支管的展开图。

答案:

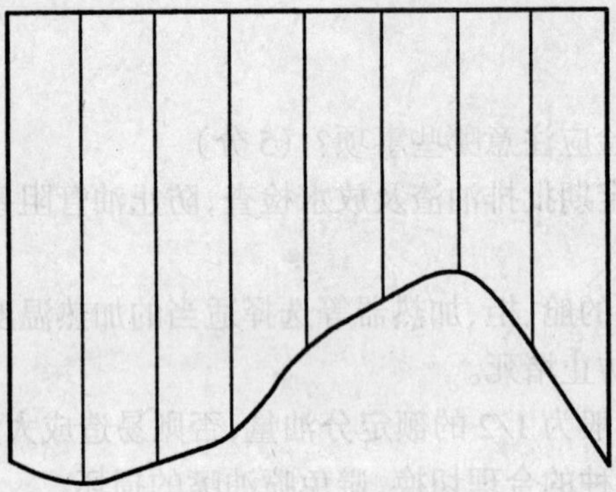

六、计算题(15 分)

1.计算管子的弯角和转角 1(10 分)

解:1.求实长

$$L_1 = \sqrt{450^2 + 230^2} = 505\text{mm}$$

$$L_2 = \sqrt{260^2 + 300^2} = 397\text{mm}$$

2.求弯角

$$\alpha_1 = \arccos\frac{450 \times 260}{505 \times 397} = 54°$$

$$\alpha_2 = \arctan\frac{300}{260} = 49°$$

3.求转角 $\varphi_1 = 180° - \arctan\frac{230}{340} = \overset{\frown}{146°}$

2.求管子的旋转角(5 分)

解：

$$\psi_1 = 180° - \arctan\frac{250}{300} = 140°$$

$$\psi_2 = 180°$$

$$\psi_3 = 180° - \arctan\frac{300}{250} = 130°$$

参考文献

1 吴丛,蒲钟佑.液压与气动.北京:北京理工大学出版社,1995

2 阎永阁等编.船舶辅机.北京:人民交通出版社,1983

3 李之义主编.船舶辅助机械.北京:人民交通出版社,1994

4 陈志贤等编.船舶动力装置安装工艺.北京:国防工业出版社,1981

5 欧阳剑,刘琴,孟贤法,叶洪磬.船舶辅助机械.北京:人民交通出版社,1981

6 大连海运学院编.船舶柴油机.北京:人民交通出版社,1981

7 张佐厚,胡志安主编.船舶推进.北京:国防工业出版社,1980

8 (美)托马斯 C 吉尔默著.现代船舶设计.北京:国防工业出版社,1983

9 (日)盐见弘著.可靠性工程基础.北京:科学出版社,1982

10 中国船舶工业总公司标准化研究所.西德劳氏规范,1983

11 交通部上海船舶设计院编.国外船舶节能技术文集(二),1981

12 徐元昌编.流体传动于控制.上海:同济大学出版社,1998

13 王明智,王春行主编.液压传动概论.北京:机械工业出版社,1991

14 梁前国,周厚荣.船舶管系工.中华人民共和国职业技能鉴定规范(考核大纲).北京:劳动部.中国船舶工业总公司颁发

15 张希贤,唐荣庆编.潜艇装置及系统.上海:上海交通大学出版社,1996

16 浦宝康,赵兴贤,林春亭,孙瑞丽编.船舶轮机问答.北京:人民交通出版社,1985

17 盛敬超.工程流体力学.北京:机械工业出版社,1988

18 清华大学精密仪器系液压教材编写组.金属切削机床液压传动.北京:人民教育出版社,1977

19 (美)A V 奥本海母等著.信号与系统.杭州:浙江科学技术出版社 1991

20 章宏甲主编.金属切消机床液压传动.南京:江苏科学技术出版社,1980